Louis-Ph

Nous remercions le ministère du Patrimoine canadien,
la SODEC et le Conseil des Arts du Canada
de l'aide accordée à notre programme de publication

Patrimoine   Canadian
canadien   Heritage

Conseil des Arts   Canada Council
du Canada   for the Arts

ainsi que le gouvernement du Québec
– Programme de crédit d'impôt
pour l'édition de livres
– Gestion SODEC.

Nous reconnaissons l'aide financière
du gouvernement du Canada
par l'entremise du Programme d'aide au développement
de l'industrie de l'édition (PADIÉ) pour ce projet.

Logo de la collection:
Vincent Lauzon

Illustration de la couverture:
Louis-Martin Tremblay

Maquette de la couverture:
Ariane Baril

Édition électronique:
Infographie DN

Dépôt légal: 2ᵉ trimestre 2007
Bibliothèque nationale du Canada
Bibliothèque nationale du Québec

1234567890 IML 0987

La faim du monde

DU MÊME AUTEUR
AUX ÉDITIONS PIERRE TISSEYRE

COLLECTION CONQUÊTES

Le visiteur du soir, roman, 1980, prix Alvine-Bélisle 1981 (réédition 1995).

Un été sur le Richelieu, roman, 1982.

Casse-tête chinois, roman, 1985. Prix du Conseil des Arts du Canada, 1985.

« J'aurai ta peau mon salaud ! » nouvelle, in *L'affaire Léandre,* 1987.

Ciel d'Afrique et pattes de gazelle, roman, 1989.

COLLECTION FAUBOURG ST-ROCK

La faim du monde, roman, 1994 (réédition 2007).

CHEZ D'AUTRES ÉDITEURS

Un cadavre de classe, roman, Soulières éditeur, 1997. Prix Monsieur Christie 1998.

Un cadavre de luxe, roman, Soulières éditeur, 1999.

Un cadavre stupéfiant, roman, Soulières éditeur, 2002. Grand Prix du livre de la Montérégie, 2003.

L'épingle de la reine, roman, Soulières éditeur, 2004.

Tristan Demers, un enfant de la bulle, biographie écrite en collaboration avec Tristan Demers, Éditions Mille-îles, 2004.

Ding, dong ! 77 facéties littéraires à la saveur Queneau, Soulières éditeur, 2005. Sélection White Ravens 2006.

Robert Soulières

La faim du monde

Roman

**ÉDITIONS
PIERRE TISSEYRE**

9300, boul. Henri-Bourassa Ouest, bureau 220,
Saint-Laurent (Québec) H4S 1L5
Téléphone : 514 335-0777 – Télécopieur : 514 335-6723
Courriel : info@edtisseyre.ca

**Catalogage avant publication
de Bibliothèque et Archives Canada**

Soulières, Robert

      La faim du monde
      2ᵉ édition

      (Collection Faubourg St-Rock plus ; 8)
      Édition originale : ©1994
      Pour les lecteurs de 12 ans et plus.

      ISBN 978-2-89633-041-6

      I. Tremblay, Louis-Martin. II. Titre III. Collection

PS8587.O927F34 2007   jC843'.54   C2007-940022-1
PS9587.O927F34 2007

À mon ami André Bergeron,
celui qui soigne le cœur et l'âme.

L'auteur tient à remercier pour leurs précieux conseils, leurs yeux de lynx et leur fidèle amitié : Madeleine Vincent, la joyeuse bande du Faubourg St-Rock : Marie-Andrée, Susanne, Danièle et Vincent, ainsi qu'André Bergeron, Véronique, Colombe, Roger Poupart, Francine Vallée et Lise Barras, sans oublier Michel Corboz, Sylvie Douville, Suzanne Gascon et Frédéric Boutin, qui feront connaître ce roman à la planète entière.

Les enfants, ça se faufile partout.
Ça entre dans nos vies comme un coup de vent
et ça disparaît sans dire merci.

Pierre Desrochers
Les années inventées

… il est infiniment rare qu'on se quitte bien,
car si on était bien
on ne se quitterait pas.

Marcel Proust
À la recherche du temps perdu

1

Le mardi,
c'est du spaghetti

C'est le mois de mai. Le printemps. La saison
des amours, à ce qu'on dit. Mais c'est surtout la fin
de l'année scolaire ou presque. En fait, il reste
33 jours d'école. C'est-à-dire 132 cours, 9 900
minutes de cours à la polyvalente La Passerelle
comme ailleurs au Québec. Neuf mille neuf cents
minutes de cours, c'est toujours énorme dans un
sens, mais pour beaucoup de monde comme
Gabriel Fortin, le compte à rebours est déjà
commencé depuis longtemps.

La cloche, qui ne remportera jamais un
concours d'originalité, vient de sonner. On sort
toujours plus rapidement d'un cours qu'on y
entre. C'est là un des nouveaux principes
d'Archimède. On aura beau dire aussi que ventre
affamé n'a point d'oreilles, c'est faux, car c'est la

ruée vers les casiers, pour y prendre son lunch ou pour filer tout droit à la cafétéria.

En ligne, comme des enfants pas très sages, Gabriel, Caroline qui le suit comme une ombre depuis un mois (depuis qu'elle l'aime en fait), et les inséparables Bobbie et Félix se bousculent pour savoir qui passera devant l'autre. Cathou et Carbo discutent en attendant leur tour.

— Je déteste les mardis, c'est toujours du spaghetti avec des grosses boulettes de viande pas mangeables ou l'assiette froide. Tout un choix!

— C'est très bon, du spaghat! s'exclame Carbo.

— Oui, je suis de ton avis, réplique Gabriel, mais pas celui de la café. Il n'y a jamais de surprise ici avec leur maudit menu. Le mardi, c'est toujours la même chose. Je gagerais n'importe quoi contre un bon vieux Big Mac que les cuisiniers sont aveugles.

— En tout cas, ils ne mangent sûrement pas ici, lance Cathou en riant.

— On devrait apporter notre lunch plus souvent. Ça coûterait moins cher et comme ça, on pourrait décider de ce qu'on veut manger, dit Carbo en fouillant dans sa poche pour payer son plat.

À la cafétéria, il règne un drôle de babillage ce midi. Les surveillants trouvent l'atmosphère louche. Ils n'ont pas tort: c'est toujours ainsi avant une bataille de bouffe. Les inévitables et imprévisibles batailles de bouffe. Celles de septembre pour marquer le début de l'année scolaire ou… la fin des vacances, et celles de juin pour fêter la fin de l'année ou… le début des vacances.

— Je mettrais ma main au feu que c'est pour ce midi, prédit l'un des surveillants.

— Ouais, c'est ben possible ! répond l'autre.

Gabriel est là, à leur table habituelle, avec Caroline, Sébastien, Cathou et Carbo. Il n'y a pas de petit carton marqué *Réservé*, mais c'est tout comme. Ils ne sont pas les seuls, d'ailleurs, à avoir leur table attitrée. Certaines habitudes se prennent très jeune et se gardent longtemps.

Le quatuor infernal se regarde en pouffant de rire. Bientôt un léger murmure s'empare de toute la cafétéria. On frappe sur les tables. C'est un signe de ralliement. Ensuite, les 830 dîneurs se mettent à siffler. Fort. De plus en plus fort. Déjà des jeunes se cachent sous les tables. D'autres s'enfuient de la cafétéria. La bataille de bouffe est inévitable. Puis, la tempête se déchaîne. Incontrôlable et violente.

Le spaghetti vole de part et d'autre. Les nouilles frappent les autres Nouilles sans avertissement. Épaisse, rouge et gluante, la sauce tomate s'agrippe aux chandails, aux cheveux, aux jeans et aux jupes qu'elle rencontre. Sans distinction de sexe, d'âge ou de race. Les nouilles sont aveugles. La soupe et le yogourt se marient dans les airs pour mieux frapper leurs prochaines victimes. La bataille de bouffe prend cette fois une allure gigantesque, contrairement aux autres fois, où seulement une partie de la cafétéria devenait un champ de bataille. Cette fois-ci, une bonne centaine de jeunes s'en donnent à cœur joie.

Les plateaux décollent, les berlingots de lait font du vol plané, ceux de jus de raisin se métamorphosent en torpilles. C'est Pearl Harbour à La Passerelle. Gabriel joue au capitaine Crochet. Cathou rit de bon cœur, même si ses cheveux sont pleins d'un liquide étrange et repoussant. Carbo plonge sa grande main dans son plat et s'apprête à viser avec justesse la belle Élisabeth, qui ne se doute de rien. Ça lui apprendra à tourner le dos à l'ennemi.

Les vieilles préposées à la cafétéria affichent un air découragé devant tout ce gâchis. Tantôt elles devront, comme si elles ne travaillaient pas assez comme ça, tout ramasser et laver les tables et le plancher à cause de ces jeunes voyous qui ne pensent pas plus loin que le bout de leur nez.

C'est le capharnaüm le plus total. Les murs et les planchers sont glissants et *dégueux*. Les surveillants font appel à d'autres surveillants et les préposés aux cuisines qui, généralement, ne se mêlent de rien, viennent donner un coup de main pour arrêter le massacre.

Finalement, la bataille s'essouffle, faute de bouffe. Comme à la guerre, faute de munitions. Et les jeunes se mettent à applaudir comme à la fin d'un bon spectacle.

Puis, l'ineffable directrice adjointe, madame Visvikis, alias Double-V, fait son apparition.

— Avec l'air de bœuf qu'elle a, elle a sûrement fait l'armée, chuchote Bobbie à l'oreille de Cathou.

— Moi, je croirais plutôt qu'elle n'a pas baisé depuis vingt-cinq ans. Minimum!

Gabriel aperçoit Double-V du coin de l'œil. Toujours dans le feu de l'action et sans réfléchir, il s'empare d'un yogourt aux fraises et le lance dans sa direction. Il ne croit pas si bien viser. Le dessert atterrit sur la volumineuse poitrine de Double-V. Elle pousse un cri d'épouvante. Elle est horrifiée. Sa blouse a été éclaboussée, son amour-propre davantage.

Avec ce dernier rappel, le silence reprend sa place. Lentement. Sans trop se presser. Les surveillants ont cerné un petit groupe de belligérants, les initiateurs possibles de cette mauvaise blague, de ce spectacle dégradant et de mauvais goût.

— Vous autres, à mon bureau! lance sèchement Double-V. Allez vous laver les mains. Et plus vite que ça!

Gabriel, Caroline, Cathou, Carbo, Bobbie et Félix (Étienne, le chanceux, s'en tire indemne) et sept autres élèves se dirigent avec nonchalance vers le bureau de la directrice adjointe pour le sermon d'usage. Il devrait être long et violent, car elle semble d'humeur massacrante.

— Quant aux autres, poursuit Double-V, vous allez aider les préposés à laver et à ramasser tout ça. Vous apprendrez comme ça que la cafétéria, ce n'est pas une soue à cochons et que, lorsqu'on fait un dégât, on le ramasse. Vous me copierez aussi une page de dictionnaire que vous me remettrez demain matin. Messieurs Gendron et Thériault vont prendre vos noms. D'ici là, bonne fin de journée, lance l'adjointe sur un ton plutôt baveux.

Puis, elle quitte la cafétéria d'un pas vif pour aller réparer, elle aussi, l'outrage que son chemisier a subi.

2

Le sermon
de Double-V

Ils sont là, cordés en rangs d'oignons, silencieux. La blague est terminée. On se regarde du coin de l'œil avec une pointe d'inquiétude. Double-V fait enfin son entrée. Elle claque la porte avec une violence inouïe.

— Mais qu'est-ce qui vous a pris, bande d'imbéciles?

Double-V est hors d'elle-même. Son visage est écarlate et ses mains tremblent un peu. Lorsqu'elle parle, elle postillonne sans arrêt.

— Mais qu'est-ce qui vous a pris, bande d'imbéciles? répète-t-elle. Vos batailles de bouffe, c'est tout à fait ridicule. C'est un non-sens. Une aberration mentale. Mais qu'est-ce que vous avez à la place de la tête, une noix de coco? Bande d'imbéciles! Vous ne savez pas que, pendant que vous faites vos batailles de bouffe à la con, il y a des gens qui meurent de faim sur la Terre ? Qu'il y a des gens qui se battent pour un bout de pain ? Que des milliers d'enfants meurent chaque jour avant même d'atteindre votre âge ? On meurt, figurez-vous, au Congo et au Niger, chaque jour ! Vous ne lisez pas les journaux ? Vous êtes évidemment trop centrés sur votre petit nombril pas encore sec et vous ne pensez qu'à vos sauteries du samedi soir. Bande d'écervelés ! Vous devriez être plus respectueux de la chance et de la richesse que vous avez, espèces d'inconscients !

Les élèves ne savent plus où regarder et n'osent surtout pas fixer Double-V, qui les fusille du regard.

Elle reprend son souffle et poursuit :

— Vous me découragez complètement. Vous êtes en 5ᵉ secondaire, et vous ne pensez qu'à faire des bêtises sans réfléchir. «OOOH! C'est juste pour rire, madame, c'est juste pour s'amuser…» Belles excuses !

Gabriel se racle la gorge et surprend tout le monde en défiant Double-V. Ça pourrait sembler anodin pour plusieurs, mais interrompre le discours de Double-V, c'est comme un outrage au tribunal. C'est l'insulte suprême. On n'interrompt pas Double-V. On l'écoute et on se tait.

Gabriel, d'une voix assurée, lance :

— Oui, mais madame, le Congo, le Niger, tout ça, c'est bien loin, et ça ne leur en donnera pas plus. Le spaghetti de ce midi, ils n'auraient pas pu le manger *anyway. You know what I mean!*

— Tout d'abord, jeune impertinent, sache qu'il n'est pas nécessaire d'utiliser deux langues comme tu le fais pour se faire comprendre. Ça peut faire chic dans certains salons de la haute du Faubourg, mais ici, à La Passerelle, je ne tolère pas qu'on parle anglais quand on s'adresse à moi. Deuxièmement, ton raisonnement ne tient pas debout. Bien sûr, le spaghetti de ce midi n'aurait pu être mangé au Congo, mais c'est ce qu'il représente qui est important. Et si le Congo, c'est trop éloigné pour toi et tes petits copains, sache, jeune aveugle, qu'il ne faut pas aller bien loin pour trouver des pauvres, car il y en a même au Faubourg. Évidemment, tu es au-dessus de tout ça, toi, mon petit Fortin. Tout le monde sait que ton père a une douzaine de pharmacies, qu'il possède plusieurs immeubles dans le Faubourg et qu'il est riche comme Crésus, même si vous ne savez pas qui est ce personnage, souligne-t-elle avec un mauvais sourire. Bien sûr, ces basses considérations alimentaires te passent dix pieds par-dessus la tête. Quand on est riche, on se fout des autres, des perdants, des gagne-petits. C'est bien connu, on pense à soi, un point c'est tout.

Les jeunes fixent le bout de leurs espadrilles sans broncher, étonnés d'apprendre que le père de Gabriel est riche. Gab cachait bien son jeu.

Double-V est dans une forme terrible. Mieux vaut ne pas soutenir son regard ou argumenter. Elle s'écoute parler et, comme le paon, elle fait la roue. Tout le monde comprend ça, sauf Gabriel.

Carbo a beau lui donner de légers coups de coude, Gab ne veut rien savoir.

Double-V poursuit :

— C'est une question de respect, bien sûr ; mais à votre âge et compte tenu de votre condition sociale, le respect, ça ne veut pas dire grand-chose !

Un défilé d'anges passe…

— Bon, maintenant, il me faut un ou des coupables, car je ne peux tolérer que pareille situation se reproduise. Quels sont les individus qui ont déclenché cette « guerre de bouffe », comme vous dites ?

Le silence est lourd comme une tonne de briques.

— Personne, bien sûr ! D'accord. De toute façon, pour commencer, vous avez tous une journée de suspension et vous reviendrez avec un billet signé par vos parents. Et toi, Gabriel, pour ton impertinence, ce sera trois jours, et tu reviendras à l'école avec un de tes parents. C'est bien compris ?

— Mais je n'ai rien fait de plus que les autres. C'est complètement injuste.

— Complètement injuste et je m'en fous ! C'est moi qui mène, ici, espèce d'hypocrite. C'est toi qui as commencé le bal, les surveillants me l'ont dit. Il est donc normal que ce soit toi qui en subisses les conséquences les plus sérieuses.

— Mais…

— Tais-toi, Gabriel Fortin ! Tu ne sembles pas comprendre que la parole est d'argent, mais que le silence est d'or. Tu me copieras «Je ne participerai plus à une bataille de bouffe», cent fois.

Gabriel pouffe de rire.

— Qu'est-ce qui te fait rire? Cent fois, ce n'est pas assez, peut-être?

— Que ce soit cent fois ou mille fois, je peux vous faire cette copie en un rien de temps.

— Ah oui? fait Double-V, incrédule, avec un sourire en coin. Eh bien! c'est ce que nous allons voir, lui dit-elle en lui tendant un crayon et quelques feuilles de papier qui traînent sur son bureau.

Gabriel s'approche d'une table et s'exécute: *Je ne participerai plus à une bataille de bouffe cent fois.*

Avec un sourire narquois, l'élève lui remet sa feuille, sûr d'avoir gagné la partie. Mais c'est mal connaître Double-V.

— Très drôle! Très, très drôle. Je m'y attendais, figure-toi. On va voir maintenant qui est le plus fort à ce petit jeu. Tu me copieras donc dix pages du dictionnaire *Le Robert* et je veux avoir cette copie, signée par l'un de tes parents, à 9 heures 15 lundi, sans faute. J'ai bien dit «copie» et non «photocopie».

Double-V bombe le torse, fière de son coup.

— Vous pouvez disposer.

Les élèves s'apprêtent à sortir quand Double-V ajoute:

— Fortin, toi, tu restes ici. J'ai à te parler, car je n'ai pas fini avec toi.

Carbo, Bobbie et Cathou lui font un signe d'encouragement avant de quitter la pièce.

C

— La vieille vache! lance Cathou, c'est Gabriel qui va écoper de tout.

— Ça n'a pas l'air d'être sa journée. J'espère qu'il va s'en tirer pas trop pire, maudit! On dirait qu'il a le don, aujourd'hui, de courir après son malheur. Je ne le comprends pas, dit Caroline.

— Bof! Il n'y a rien à faire avec elle. Elle a le complexe du boss ancré en elle. Elle veut mener le monde entier. C'est Hitler au féminin, j'te jure. Elle veut toujours gagner et c'est toujours elle qui a raison. Au fond, elle nous méprise tous. Tu as entendu comment elle nous parle? Cette bonne femme-là n'aime pas les jeunes et quand on est dans l'éducation, c'est assez bizarre.

— Elle devrait prendre sa retraite.

— Ouais, ce serait la meilleure chose qu'elle pourrait faire pour nous et pour elle.

— Faut bien dire par contre que les guerres de bouffe, ce n'est pas tellement brillant.

— C'est vrai, mais ce n'est pas une raison pour nous traiter comme ça.

— Au fait, tu savais, toi, que le père de Gabriel est plein aux as?

— Non, mais ça ne change rien à rien pour moi.

Avant de s'éloigner pour de bon du bureau de Double-V, Carbo lui fait un majestueux doigt d'honneur en ricanant de plus belle.

— T'es donc bébé, lui dit Cathou.

Carbo aurait aimé lui dire que ça le défoule et qu'en réalité ça ne fait de mal à personne, mais il reste silencieux et continue à sourire.

3

Tu te penses fin?

Double-V arpente encore la pièce et ne fait rien pour se calmer. Une vraie lionne en cage. Gabriel ne dit pas un mot pour l'instant. Il attend que Double-V redéclenche officiellement les hostilités.

— Tu te penses fin, hein? Me ridiculiser de la sorte devant tes petits copains comme tu l'as fait tantôt, hum?

En guise de réponse, Gabriel sourit de ses dents d'une blancheur impeccable.

Double-V s'approche. Gabriel sent son vilain parfum. C'est affreux, on dirait un mélange de vieux café avec du savon à vaisselle parfumé au citron. De plus, elle n'a pas bonne haleine. Soudain, elle recule de deux pas et plante son regard dans celui de Gabriel. Puis, elle lance:

— Et tu penses aller au cégep l'an prochain?

— Sûrement, dit Gabriel.

— Et en quoi?

— Probablement en autobus…, pouffe de rire l'étudiant.

— Y a des coups de pied au cul qui se perdent.

— Oui, vous avez raison, dit Gabriel, sur un ton plein de sous-entendus.

— Je ne t'ai pas demandé ton avis, Fortin.

— Cessez de m'appeler Fortin, j'ai un prénom et un nom, et je vous trouve très impolie de me parler comme vous le faites.

— Je n'ai pas de leçons de politesse ni d'ordres à recevoir de toi, jeune impertinent. Moi aussi, j'ai un prénom et un nom, figure-toi. Je ne suis pas dupe, je sais que toute la poly m'appelle Double-V. Et ça ne me plaît pas du tout.

C'est alors que la main de Double-V s'abat sur le visage de l'adolescent. Sans prévenir. Une gifle terrible. Rapide. Foudroyante. Un geste qui laisse Gabriel abasourdi.

— Vous n'avez pas le droit de me gifler, dit-il en massant sa joue endolorie et en retenant ses larmes.

Gabriel ne pleurera pas devant elle. Il se retient du mieux qu'il peut. Pleurer serait avouer sa faiblesse et reconnaître qu'elle a gagné sur un point. Et ça, c'est hors de question.

— Vous n'avez pas le droit, répète-t-il. Pourquoi m'avez-vous giflé?

— Parce que tu m'énerves! Tout simplement. Ta belle gueule d'ange m'énerve au plus haut point et ça me suffit! Est-ce assez clair? Parce que tu as tout et que tu ne fais rien. Tes notes sont acceptables : 70-72 %, juste ce qu'il faut pour réussir honnêtement, mais au fond, tu es un paresseux qui se laisse aller. Ton père a de l'argent, tu es beau, tu es intelligent, et moi, ça me fait suer cette race de monde qui a tout cuit dans le bec sans rien faire. Parce qu'il faut plus que ça pour vraiment réussir, pour faire sa marque dans la vie. Bûche, travaille, fonce, secoue-toi un peu, remue-toi, fais quelque chose, grand flanc mou ! Ta belle gueule ne sera pas toujours un atout pour toi. Et quand j'y pense, ce n'est pas ta place, ici, à La Passerelle ; ta place, c'est à l'école privée, avec les riches, ceux de ta race. Je ne sais d'ailleurs pas pourquoi tu es à La Passerelle, je ne comprends pas…

— Ce n'est pas une raison pour me gifler. Je me plaindrai à qui de droit.

— Innocent, va ! Qui te croira ? Nous sommes seuls, dans cette pièce. Il n'y a pas de témoin. Il faudrait que tu apprennes une fois pour toutes que c'est moi qui mène ici. Que c'est moi la plus forte et que ton caractère de rebelle, tu peux bien te le mettre où je pense.

— Je me plaindrai au directeur et il me croira, poursuit Gabriel, qui ne veut pas lâcher prise tout en se disant qu'il n'a aucun recours.

Il préfère faire encore semblant pour inquiéter Visvikis, si c'est possible.

Double-V ricane de plus belle.

— Tu peux bien essayer, répond-elle entre deux éclats de rire, tu peux bien essayer, mais comme monsieur Houde a de la difficulté à choisir la chemise qu'il va porter le matin, je ne suis pas inquiète. De toute façon, j'ai utilisé ce qu'on appelle « le droit parental » et je ne t'ai pas giflé avec une violence démesurée. Tu peux toujours courir, j'ai la loi de mon côté.

Gabriel se sent coincé. Et seul. Il a hâte de déguerpir de ce bureau chargé d'ondes négatives. Ne voulant surtout pas y pourrir jusqu'à la fin du mois, il se résout à une extrême politesse et demande à Double-V:

— Est-ce que je peux disposer?

Cette fois, enfin, Double-V n'y voit pas d'objection. Comme un chat qui a fini de jouer avec la souris, elle lâche d'un ton sarcastique:

— Oui, jeune homme, tu peux disposer. Je t'attends cependant lundi matin avec la copie signée par un de tes parents. Et je veux te voir revenir ici avec ton père ou ta mère.

— À lundi, si j'ai encore le goût de revenir dans cette prison, bien sûr. Parce que ce n'est pas sûr que vous allez me revoir la face…

En disant ces paroles, Gabriel est déjà rendu à la porte, la main sur la poignée. Avant que Double-V ait le temps de réagir, il est dans le corridor.

Double-V s'assoit. Peu fière de son coup. Sa principale tâche est d'éduquer les enfants, de leur faire aimer l'école ou, à tout le moins, de faire en sorte qu'ils y restent jusqu'à la fin de leur secondaire. Et il y en a justement un qui la menace de quitter l'école. Mais elle connaît Gabriel Fortin: c'est un bon élève, dans le fond, et il reviendra…

« Mais reviendra-t-il vraiment ? » se demande-t-elle en ouvrant son tiroir pour prendre une cartouche d'encre.

C

Gabriel sort de la polyvalente La Passerelle comme une balle. Il aurait le goût de tout casser. Un surveillant l'interpelle :

— Hé ! le jeune. Où vas-tu comme ça ?

Pour toute réponse, Gabriel donne un violent coup de pied dans une poubelle.

Son cœur bat comme mille tambours. Il fulmine. Humilié par la gifle. Blessé par l'injustice des adultes qui se croient tout permis parce qu'ils sont plus vieux, parce qu'ils ont de l'argent, un poste, un peu de pouvoir…

— Vieille conne ! crie-t-il, une fois dehors. Maudite vieille conne ! hurle-t-il à s'en déchirer les poumons.

C

Après quelques instants, l'air pur et le soleil lui font du bien. Gabriel ne court plus, maintenant ; il marche. Par contre, la rage au cœur est encore là. Elle sera présente pour un bon bout de temps, mais le pire est passé. Gabriel déambule maintenant sur le boulevard de La Passerelle en direction de la rue des Églantiers, pour se rendre à la gare.

C'est un endroit tranquille et éloigné de tout. Il pourra réfléchir à son aise. Il a envie d'être seul. Seul avec lui-même.

Drôle de journée! Une journée qui avait pourtant commencé comme toutes les autres; son père qui est là, mais qui n'y est pas vraiment, car il lit son journal. Pas tout le journal, seulement les pages financières, ça fait plus sérieux. Les morts, les incendies, les problèmes sociaux, ce n'est pas important pour lui.

Quant à sa mère, elle est totalement absorbée par son nouvel emploi d'agente immobilière. «Une passion», répète-t-elle souvent. Vendre des maisons et décrocher de grosses commissions, obtenir le titre de «vendeuse du mois»; maintenant, il n'y a que cela qui l'intéresse.

Chaque matin, Gabriel se sent comme un acteur dans une pièce absurde. Aucune communication. Trois mondes différents. Trois continents à la dérive.

Et il assiste à ce spectacle quotidien, impuissant. L'ordre des choses ne changera pas avant des siècles et des siècles. Ce sera toujours la même réalité et Gabriel trouve ça déprimant au plus haut point. Le pire, c'est qu'ils ne s'en rendent même pas compte. Leur vie est réglée comme du papier à musique, mais toutes les notes sont discordantes.

— *Merde, le Dow Jones vient de perdre 30 points et le dollar canadien est sous la barre des 72 cents!*

— *Il faudrait bien que je téléphone à Yolande pour la réunion de ce soir.*

— Ah! où avais-je la tête? Il faut que je passe chez le concessionnaire pour ma vérification de 12 000 kilomètres. Chez BMW, ils n'ont pas la réputation d'être les plus rapides et les moins chers. Leur devise, c'est «paie et attends». Et tandis que j'y pense, si ce sacré permis de rénovation de la Ville peut arriver, je vais rire.

— Louis, n'oublie pas la réception avec les Langevin mercredi soir. C'est très important pour moi... et c'est nous qui invitons. L'autre jour, tu t'es rendu chez eux pour rien. T'en souviens-tu?

— Oui, oui, et la Vulcain qui est maintenant rendue à 23,45 $. Ça me dépasse! Non mais, y a-t-il quelqu'un pour gérer comme il faut cette fichue boîte?

Gabriel en a assez. Ces vies parallèles durent depuis trop longtemps. Ils sont trois, mais ils sont seuls. Chacun sur son île. À potasser ses petites affaires. Si près l'un de l'autre, mais en même temps si loin, dans cette maison bourgeoise de 20 pièces. Vingt pièces, pour quoi faire? C'est bien curieux. Est-ce à cause de l'époque, de la société, de l'argent? Est-ce tout simplement de leur faute s'ils ne savent pas se parler, s'ils ne savent pas communiquer entre eux? Pourtant, l'homme est le seul être vivant qui possède un réseau de communication aussi sophistiqué! Beaucoup d'amour, peu d'argent. Beaucoup d'argent, peu d'amour. Et, entre les deux, il y a ceux qui courent toute leur vie après l'argent et d'autres après l'amour... l'amour de l'argent!

« P'tite vie ! » soupire Gabriel en prenant son cellulaire au fond de sa poche.

Il téléphone chez lui et non sur le cellulaire de sa mère, car il veut être certain que ce sera le répondeur et, cette fois-ci, ça l'arrange.

— *Nous ne sommes pas là présentement pour prendre votre appel, mais après le bip sonore, veuillez laisser votre nom, votre numéro de téléphone et l'heure de votre appel et c'est avec plaisir que nous communiquerons avec vous.*

Gabriel sourit en entendant le mot *communiquerons*. Enfin !

Biiip !

L'heure est au pieux mensonge.

— Bonjour, c'est Gabriel. Je ne rentrerai pas pour souper ni pour coucher (il se racle la gorge) ; j'ai un devoir de math à terminer et j'ai pensé que Félix pourrait me donner un coup de main. Alors, je coucherai chez lui ce soir. Salut !

Ce soir, Gabriel n'a pas l'intention d'étudier. De toute façon, il n'a pas son sac d'école et il n'a guère la tête à ça.

Il n'a pas non plus le goût de voir Félix ni Caroline, sa nouvelle petite amie qui le talonne sans cesse. Un vrai pot de colle, celle-là ! Elle a sans doute peur de le perdre, suppose-t-il. C'est drôle, parce que c'est Gabriel qui se sent plutôt perdu, ces temps-ci. Mais les filles ont parfois des antennes. Elles devinent les choses avant qu'elles se produisent. Peut-être sent-elle venir cette marée de révolte, cette poussée de rébellion ? Quoi qu'il en soit, Gabriel a surtout envie d'être seul. Le goût d'être libre, de ne rien devoir ou dire à personne. Il aurait même le goût de tout lâcher. De déserter. De partir n'importe où, mais loin. Ailleurs. Au Texas, au Pérou, en Amérique latine, en Europe, que l'on dit si belle : Londres, Paris, Venise… Ou en Australie. Vivre au jour le jour dans l'insouciance la plus totale. N'importe où, mais changer de décor avant de vomir. Toujours l'idée de partir, de fuir, alors que c'est dans sa peau qu'on est mal ! Enfin, rêver, ça ne coûte pas cher et ça fait du bien.

En attendant, Gabriel se demande bien où il va coucher ce soir.

« Un détail, soupire-t-il. Un détail… »

4

Seule avec
son scotch

Dans son condo, Viviane Visvikis se verse un autre verre de scotch. La rasade est généreuse, car on n'est pas dans un bar, ici. Elle se rassoit dans son confortable fauteuil en cuir et pose ses vieux pieds endoloris sur le pouf. Elle relaxe. Elle doit relaxer, car les journées, à mesure qu'elle vieillit, sont de plus en plus difficiles. «Tu vas voir, lui avait dit sa mère, après 50 ans, ton corps ne suit plus aussi facilement, et les journées deviennent plus harassantes et plus dures à supporter. »

Le scotch aidant sans doute, les pensées de Viviane vagabondent.

«L'inévitable stress. Être adjointe au directeur n'est pas une tâche de tout repos, surtout lorsque ce directeur se cache plus vite que son ombre pour éviter de prendre une décision. Impossible à saisir. Une véritable anguille. Il n'est jamais là quand on a besoin de lui et, quand il y est, il n'est pas disponible. Monsieur Houde, l'homme invisible. Il a beau avoir des ennuis avec sa femme qui veut le quitter, ce n'est pas une raison pour abandonner ses responsabilités professionnelles. Sa femme… La pauvre! Moi, je ne l'aurais pas enduré une semaine! N'empêche que monsieur Houde est sur le point de devenir la risée des profs et de l'administration. Peu à peu, il est en train de perdre toute crédibilité. Il ferait mieux de demander une mutation et… je pourrais devenir directrice de cette école. Enfin! Diriger comme je l'entends, faire les changements qui s'imposent depuis si longtemps. De toute façon, depuis quelques semaines, c'est moi qui le remplace la plupart du temps aux réunions de gestion. C'est aussi sans doute mieux comme ça, car il a toujours un verre dans le nez, par les temps qui courent. »

À ce moment-là, Viviane regarde le glaçon qui tangue dans son verre. Non, elle ne boit pas, elle se détend. D'ailleurs, c'est une des rares fois où elle boit seule. Quoi qu'il en soit, elle est toujours seule depuis la mort de son mari, survenue il y a six ans. Un départ tout en douceur, d'une certaine manière. Une mort qui l'avait un peu soulagée, car il était très malade et était devenu un poids. Mais elle s'était occupée de lui avec patience et dévouement, en rongeant son frein parfois, mais souvent avec le sourire, car cet homme l'avait beaucoup aimée.

Son mari l'avait informée qu'il n'en avait plus pour longtemps à vivre, et il fallait bien que les derniers mois soient agréables. Oui, elle avait pris soin de lui avec amour et dévouement. Elle, le masque de fer, la femme dure, l'impitoyable, la sans-cœur auprès des élèves, celle qui ne laisse rien passer, celle que l'on aime détester. Elle, la Double- V, la froideur incarnée, la banquise… mais de neuf à cinq seulement, car après le bureau, c'était une autre femme. Plus affable, plus souriante, char-mante même ! Elle n'était pas une femme-caméléon, mais elle avait deux visages, alors que certains s'acharnaient à penser qu'elle avait un visage à deux faces. Nuance.

Hector. Il s'appelait Hector. Ce prénom l'avait toujours fait sourire d'ailleurs, surtout dans les moments de grande extase où elle soupirait ou criait : « Hector, oh ! Hector ! » Et ça rimait avec « encore ! »

Viviane ne put s'empêcher d'esquisser un sourire, de rire en silence. Sacré Hector ! Malgré son gros ventre, sa calvitie naissante, sa culture au ras du sol, c'était un brave type. Et il l'aimait. De ça, elle en était sûre. Elle le voyait dans ses yeux. L'amour, ça se voit toujours dans le regard plus que dans les paroles. Elle le sentait quand il posait gen-timent sa grosse main velue sur sa cuisse et quand il l'embrassait à pleine bouche en lui caressant les cheveux.

Elle avait été heureuse avec lui. Même dans un mariage sans enfants. Il n'en voulait pas. Elle non plus, elle disait qu'elle en avait plus de deux mille cinq cents, le jour ! Mais le temps a passé si vite ! Le temps s'écoule toujours trop vite quand le bonheur est là et il se traîne les pieds quand le malheur frappe. Puis, le travail, la carrière ont pris le dessus et, comme la nature ne l'avait pas avantagée, sauf pour la poitrine (elle en aurait bien donné un peu à quiconque le lui aurait demandé), elle s'était retrouvée seule. Il aurait pu en être autrement, mais elle n'avait rien fait pour remplacer le brave Hector. À son avis, les hommes sont souvent superficiels. Ils regardent tout de suite les seins et les jambes, plutôt que le cœur et l'âme. Dommage pour eux.

Viviane prend une autre gorgée avant de lâcher :

— Quelle sale journée !

Parfois, elle parle seule, mais elle ne se croit pas folle pour autant. Les gens seuls parlent tout seuls, c'est logique. Mais ils ne parlent pas réellement tout seuls : ils parlent à leur chien, à leur chat, à leurs plantes, ils rient ou bougonnent devant le téléviseur.

— Quelle sale journée de merde ! Et cette espèce de grand escogriffe de Fortin qui vient faire le jars dans mon bureau. J'aurais dû garder mon calme, à mon âge ! Mais qu'est-ce qui m'a pris de lui flanquer une baffe pareille ? Il la méritait, mais pas tant que ça… Entre lui et moi, je pense que c'est moi qui la méritais le plus. C'est mon retour d'âge, la pleine lune ou ma ménopause qui doit faire ça. Je ne suis plus aussi patiente qu'avant avec les jeunes. C'est ça, on rejette toujours les fautes de l'esprit sur le corps qui vieillit mal. C'est plus facile à accepter comme ça, se dit-elle tout bas.

Puis, elle avale d'un trait ce qui reste de son scotch en murmurant :

— Pourvu qu'il revienne à l'école et qu'il ne fasse pas trop l'imbécile d'ici là…

5

Une main
tendue vers le ciel

Gabriel n'a rien mangé depuis le midi. Il ne mourra pas de faim pour autant. Il a déserté le Faubourg pour prendre l'air. Il se retrouve sur la rue Sainte-Catherine, à Montréal. Il erre, la mort dans l'âme, ne sachant pas très bien quoi faire de son grand corps. Il parcourt alors la Catherine d'est en ouest.

Ses derniers sous, il les a donnés à un robineux en manque d'alcool, mais surtout de tendresse.

Il l'a clairement vu dans son regard vitreux. Il a donc laissé glisser quelques pièces dans cette main crasseuse avant de poursuivre son chemin.

Il devrait manger, lui aussi. Comme tout jeune homme bien de son temps, Gabriel possède une carte de guichet automatique. Il se dirige donc vers un guichet Interac pour y retirer une centaine de dollars pour lui et pour ceux qui ont la paume de la main tendue vers le ciel, qui puent l'alcool et qui sentent la crasse. Les paumés, les laissés-pour-compte, les malchanceux qui ont essayé, mais qui n'ont pas réussi.

Il fourre les cinq billets de vingt dans sa poche et se dirige vers le Tim Hortons le plus proche. Un café et deux beignes feront l'affaire. Il n'a pas réellement faim.

Puis, toujours solitaire, il reprend sa marche vers l'ouest. « *Go West young man !* » s'entend-il dire en se croyant dans un film.

La Catherine, la belle et la sale Catherine se parfume pour le soir. Ses lumières s'allument. Les magasins vont fermer dans quelques minutes. La Catherine, la reine du sexe avec tous ses bars de danseuses nues. Le sexe qui se vend bien. Ses vitrines de bijoux et de linge parfois hors de prix, le luxe impayable. Des gadgets aussi incroyables qu'inutiles.

Gabriel est étonné. C'est la première fois qu'il descend en ville tout seul pour ne rien faire, pour flâner. Avant, il y venait avec des copains pour voir un film ou un spectacle, c'était tout. Il ne voyait rien, pour ainsi dire, et s'en retournait dans son petit cocon douillet, au Faubourg, dans le *riche* Faubourg, bien sûr. Mais ce soir, c'est comme s'il découvrait la vraie vie. Les prostituées coin Saint-Laurent qui attendent un client. Elles sont à moitié gelées, c'est sûr, dans les deux sens du mot. Obligées de gagner leur vie de cette façon, c'est sans doute l'unique solution qui leur reste. Ça ne doit pas être facile. Pas tous les soirs, en tout cas.

Les *sex-shops*, les bars, la boisson, la drogue, les seringues au fond des ruelles et des stationnements... Gabriel a l'impression de débarquer dans un autre monde. À la télé, ce n'est pas pareil. Ce ne sont que des images. Et des images, on en voit tellement qu'on devient insensible. On finit par ne plus y croire, par ne plus voir. Comme si la télé n'était qu'un monde d'images inventées. Mais, ici, c'est la vraie vie.

Des gens à moitié saouls passent à côté de lui sans le voir et en parlant tout haut à une personne imaginaire. D'autres sont affalés dans le recoin d'un édifice ou au fond d'un stationnement. En attendant quoi? En attendant qui?

Gabriel s'entend murmurer:

— C'est pas une vie, ça...

Puis, il passe près d'un vagabond, allongé par terre, le long d'un mur. Un vieux qui doit bien avoir soixante ans passés, peut-être plus. Il porte un manteau d'hiver troué de toutes parts, en plein mois de mai. Il dort en bavant. Il a dû d'ailleurs en baver toute sa vie pour en arriver là.

«Oui, Viskivis avait raison: le Congo, c'est plus près qu'on le croit.»

Gabriel retire un billet de vingt dollars de sa poche et se penche pour le glisser dans le poing fermé du vieillard. Pour lui faire une surprise. Ainsi, son réveil sera moins brutal. Comme si la fée des étoiles était passée. Au fait, pour les petits, il y a la fée des dents; il devrait bien y avoir une fée pour les robineux. Ce serait plus juste. Gabriel le regarde et n'attend évidemment rien de lui. Ces gens n'ont plus grand-chose à donner en retour. Même pas la gratitude, tellement leur désespoir et leur haine du système sont grands. Il le boira, il le fumera, c'est sûr, mais peu importe : donné, c'est donné.

Gabriel examine encore un peu le vieillard, cette épave humaine, et il hésite entre le sourire que son geste provoque et la grimace devant cette douleur humaine et cette solitude effrayante.

On doit regarder la misère droit dans les yeux, seul à seul ; sinon, ça ne compte pas. L'émotion en bande tourne toujours au ridicule. Un film triste et poignant peut faire pleurer quand on est seul, mais quand on le regarde en groupe, ça tourne à la farce. Le malheur et le bonheur sont les deux côtés d'une même veste. Dans la vie, il faut savoir se retourner et retomber sur ses pattes. La misère sur la rue Sainte-Catherine, quand on l'observe avec des amis, on passe tout droit et on rigole. Tout devient prétexte à rire. À ces ratés, à ces moins que rien, on leur dit d'aller se faire voir ailleurs, de travailler. Quant aux jeunes, on se demande comment ils ont fait pour en arriver là. On jurerait qu'ils l'ont fait exprès. Ils ont l'air bien portants. Ils ont deux bras, deux jambes… mais il leur manque sans doute un peu de courage pour foncer tête baissée dans cette chienne de vie, dans cette chienne d'école. Autant de marches à monter avant d'arriver quelque part. Où ? On ne le sait pas, mais quelque part, même si dans dix ans, les emplois seront peut-être plus difficiles à trouver. La vraie civilisation des loisirs tarde à arriver. En attendant, c'est la civilisation des oisifs et des chômeurs.

Gabriel poursuit sa marche.

Au plus profond de lui, la peur le ronge. La peur de devenir comme cet homme dans dix ans, dans vingt ans. Une loque humaine. On ne sait jamais. Un futur paumé, peut-être, a laissé glisser un billet de vingt dollars dans la paume d'un vieux paumé par un beau soir de mai. Malgré la fortune de son père, malgré son confort bourgeois, il a toujours eu peur que ça finisse mal et que pour lui, ce soit plus pénible que pour les autres. Plus on tombe de haut, plus ça doit faire mal.

Gabriel marche dans sa tête. Ce soir, il aurait envie de jouer à Robin des Bois avec l'argent de son père. Il s'imagine vider le coffre-fort du paternel. Il se voit sur la Catherine, en moto, avec son ami Carbo, en train de défiler et de lancer dans les airs des liasses de billets. Des milliers et des milliers de billets. Il y aurait une émeute, c'est presque sûr, mais il aimerait voir la tête des gens. À l'angle de Saint-Laurent et de Sainte-Catherine, vers 20 heures, un jeudi, le meilleur soir pour la pêche aux dollars sous toutes ses formes.

C'est beau, rêver. C'est tellement dur de faire quelque chose, d'agir.

Gabriel a les jambes comme du coton. Bientôt, il prendra le métro pour retourner au Faubourg. Pour ce soir, il en a assez vu. Il faudrait même d'ailleurs qu'il pense à aller se coucher, mais où ? *That is the question now.* Mais la réponse ne tarde pas à venir. Comme un éclair de génie. Comme si les réponses et les solutions arrivaient toujours un peu plus vite lorsqu'on est riche! «Oui, dans un des immeubles que mon père veut faire réaménager dans le vieux Faubourg. Étant donné qu'il attend encore le permis de la Ville pour les rénover, ils sont déserts. Ce n'est pas tellement gai, mais au moins, c'est entre quatre murs et ça ne doit pas être si pire que ça.»

Gabriel est heureux d'avoir trouvé une solution plus confortable que celle du vieillard de tantôt. Un père, malgré tout, ça peut servir à quelque chose des fois.

Il s'arrête pour regarder une vitrine de disques. De grandes affiches annoncent le dernier CD du groupe U2; leur tournée mondiale devrait s'arrêter à Montréal, en août, semble-t-il. On regarde des disques, des bijoux, des voitures hors de prix, pendant que d'autres meurent de faim ou vivent dans des conditions sordides. Dire qu'il y a sur Terre encore un milliard de gens qui n'ont pas accès à l'eau potable. L'eau que l'on gaspille ici tous les jours. Les deux extrêmes si difficiles à concilier. Une tâche impossible? Gabriel songe un instant qu'il manque de cohérence, mais la vie est ainsi faite. Mal faite! Et il n'y peut pas grand-chose. Ça prendrait beaucoup de billets de vingt dollars pour changer le monde. Il faudrait aussi que les gouvernements malgré toutes leurs contraintes, mettent eux aussi l'épaule à la roue pour que les choses changent pour vrai, une fois pour toutes. Mais ce n'est pas la guerre à la pauvreté qui porte les politiciens au pouvoir.

Pendant qu'il regarde les différents CD, l'adolescent aperçoit soudain, dans le reflet de la vitrine, un drôle de regard. Un drôle de désir. Gabriel, malgré son innocence, comprend tout de suite le sens de ce regard qui en dit long.

L'inconnu s'approche et pose sa main sur l'épaule de l'adolescent, qui sursaute. L'étranger murmure :

— T'as de beaux yeux ! Qu'est-ce que tu fais ? Je te paye une bière ?

Gabriel se retourne et, sans avertissement, lâche crûment :

— Ma queue n'est pas à vendre ! Va te faire branler ailleurs.

Le ton est direct, incisif, déterminé et sans réplique. Le gars continue comme si de rien n'était à regarder l'affiche de U2. Il devra chercher ailleurs pour assouvir son désir de chaleur humaine.

L'espace d'un instant, Gabriel s'en veut d'avoir été aussi agressif. L'autre tentait sa chance et ce n'était pas nécessaire de hurler comme il l'avait fait. Il avait cédé à la panique.

Gabriel ne perd pas une minute et s'en va presque à la course vers la station de métro la plus proche. Il s'y engouffre pour être plus en sécurité. Dans le ventre de la terre. Comme dans le ventre de sa mère. Sa mère à qui il devrait téléphoner demain pour qu'elle ne panique pas si jamais elle découvrait le mensonge de son fils unique et adoré.

6

Gabriel,
s'il vous plaît…

Le téléphone sonne.

Toujours au moment où il ne faudrait pas. Paresseusement étendus dans leurs draps de satin noir, Louis – ce doit être l'effet du printemps – caresse la cuisse encore bien ferme de sa femme, qui fait semblant de somnoler tout en savourant ces caresses matinales adorables.

Le téléphone s'obstine.

Mais c'est toujours comme ça, pas moyen de dormir tranquille, de relaxer un peu avant que le réveille-matin sonne.

La main de Louis, légère comme un papillon, trace des sillons qu'il voudrait amoureux, allant du genou jusqu'au mont de Vénus. Un va-et-vient incessant comme les vagues. La main de Louis

Dumais continue de vagabonder, mais sa tête pense à la Bourse et à la réunion avec le syndicat.

Le téléphone sonne encore.

Isabelle Fortin se résigne, étire le bras vers le combiné et, d'une voix tout empreinte de sommeil, répond :

— Oouuii…

— Bonjour, madame Fortin, c'est Félix. Je m'excuse de téléphoner aussi tôt… mais il est quand même presque huit heures, murmure-t-il, gêné. J'aimerais parler à Gabriel… ou lui faire le message de ne pas oublier le iPod que je lui ai prêté la semaine dernière, j'en ai besoin aujourd'hui. J'ai téléphoné chez vous, car son cellulaire semble en panne, la pile doit être morte, alors…

Isabelle Fortin se cabre dans son lit. Tout éveillée, elle hurle presque :

— Quoi ?

— C'est pour mon…, balbutie Félix, qui n'a pas le temps de terminer sa phrase.

— Qu'est-ce que tu dis ? Gabriel n'est pas chez toi ! Il m'a pourtant laissé un message sur le répondeur me disant qu'il était chez toi en train d'étudier ses mathématiques. Mais où est-il ? Où est-il ? demande-t-elle, presque au bord de la panique.

— Je… je ne sais pas, mais il ne devrait pas être bien loin. Bon, il faut que je vous laisse, sinon je vais être en retard, dit Félix, tout heureux d'avoir trouvé une échappatoire.

Et il raccroche aussitôt.

50

Isabelle Fortin reste muette au bout du fil. Ce n'est pas la première fois que Gabriel lui fait ce coup-là. Pourtant, la dernière fois, ils s'étaient bien entendus pour que ce mensonge de bas étage ne se répète plus. Elle ne tient plus en place et se lève d'un bond.

Son mari lui demande enfin ce qui se passe :

— Gabriel n'est pas rentré, hier soir ? demande-t-il avec un ton avoisinant celui sur lequel il dirait : «Passe-moi le beurre.»

— Non, si tu veux savoir. Si tu t'en occupais davantage aussi, ça irait sans doute mieux.

— Je n'ai pas le goût de faire une scène ce matin ni d'en être le témoin. J'ai une importante réunion avec le syndicat cet après-midi, j'ai encore des choses à préparer et je veux surtout avoir l'esprit libre et tranquille.

— Oh! toi, c'est toujours tes affaires qui passent avant tout et avant tout le monde!

— Mes affaires, mes affaires… Tu sauras que ce sont elles qui nous font vivre et qui te promènent en BM, qui te font boire du champagne quand ça te chante et qui nous font voir Paris, Rome, New York…

— Bon, c'est assez, j'en ai assez entendu. C'est toujours la même chanson, change de disque. L'important, cette fois, ce n'est pas l'argent, mais notre fils, Gabriel.

Louis s'approche d'Isabelle et pose ses mains sur ses épaules, en disant :

— D'accord, d'accord, je m'excuse, tu as raison. Je ne m'occupe pas assez de lui. Je vis souvent comme s'il n'existait pas. Mais tu devrais savoir que je n'ai pas le goût de jouer au père qui amène son fils au hockey ou à la pêche. Je trouve ça vraiment cucul et je n'en ai pas envie. Je sais, c'est inquiétant de ne pas savoir où il a couché hier soir. Mais ne t'en fais pas, c'est un bon petit gars, au fond, et tu ne devrais pas t'inquiéter autant pour si peu. Téléphone chez Caroline ou à l'école et essaie de lui parler pour te rassurer.

Puis, Louis la serre encore plus fort dans ses bras, espérant calmer la tempête qui fait rage dans le cœur de celle qu'il aime. Il trouvera les mots et les gestes, encore une fois; il les a toujours trouvés dans les moments les plus cruciaux.

— Je t'aime, tu sais, je t'aime, murmure-t-il en posant ses lèvres sur sa joue.

— Moi aussi, moi aussi, répète-t-elle en écho. Ce n'est pas là le problème. Il y a des jours où je pense que tu ne l'aimes pas. Tu t'en occupes si peu! Ça me choque, ça me révolte et ça me fait mal.

— Mais non, bien sûr que je l'aime! Qu'est-ce que tu vas chercher là?

— Je ne sais pas. Ce que je sais, c'est que tu n'étais même pas là au moment de l'accouchement. Je l'ai mis au monde toute seule, cet enfant-là... tu te rends compte? Toute seule! Il n'y a pas un homme sur Terre qui aurait enduré ça. Si c'était les hommes qui enfantaient, ce serait la fin du monde chaque fois.

— Écoute, tu ne vas pas recommencer avec ça. Ça fait plus de seize ans! Et ça fait cent fois que tu me le reproches et, chaque fois, c'est comme si tu venais de découvrir que je n'étais pas là à l'accouchement. Je ne pouvais pas être là, point final ! J'étais à Vancouver en voyage d'affaires.

— Je sais, mais tu aurais pu faire un effort. Déplacer ce foutu voyage. Accoucher seule, tu ne peux pas savoir ce que c'est. Ce que ça représente pour une femme d'être seule avec des inconnus. Ne pas partager sa souffrance et sa joie…

— Isabelle, ça fait seize ans de ça !

— Oui, seize ans, Louis, mais ça fait encore mal…

— Bon, je m'excuse encore, pour la centième fois, mais je te ferai remarquer qu'on s'éloigne du sujet. Tu t'en fais trop pour rien. Ce n'est pas le premier mensonge que Gabriel nous raconte. Tu t'en fais toujours trop.

— Ouais, mais n'empêche que sa conduite ces derniers temps m'inquiète. Ce sont des signes, Louis, ce sont des signes ! Il veut nous dire quelque chose et on est là, les bras croisés, à ne pas l'écouter, à ne pas savoir quoi faire. Un fossé nous sépare.

— Le fameux *fossé des générations*.

— Je n'ai pas le cœur à blaguer, Louis.

— Je vois ça.

— Je vais téléphoner chez Caroline, on ne sait jamais.

Pendant qu'Isabelle compose le numéro de la petite amie de Gabriel, son mari, en sifflotant, met trois croissants dans le four micro-ondes. Les escapades de Gabriel ne lui ont jamais enlevé l'appétit.

Isabelle revient dans la cuisine.

— Et puis?

— Elle ne sait rien, mais j'ai cru comprendre entre les lignes que ça ne va pas très fort, entre ces deux-là. Je crois que c'est plutôt la faute de Gabriel. Caroline a l'air vraiment folle de lui. Elle plane littéralement. Ah! les filles avec notre foutu romantisme, on ne changera donc jamais. J'aimerais lui dire de faire attention à elle là-dedans, mais je sens en même temps que ce n'est pas de mes affaires. La solidarité féminine me commanderait pourtant de la protéger... Gabriel n'a pas assez de maturité pour être en amour. Il blesse les filles plus qu'il ne les aime vraiment. Notre fils traverse une drôle de période, en tout cas. Ah! l'adolescence, je ne sais pas ce que je donnerais pour que ça n'existe pas.

— C'est pourtant une période essentielle au développement humain...

— Je veux bien croire, mais il n'est pas obligé de me faire suer autant. Je ne lui ai rien fait, moi.

— Pense un peu au genre de fille que tu étais à son âge, ça pourrait t'aider à régler beaucoup de problèmes, dit Louis en riant.

— Très drôle. Oui, j'étais insupportable et très chiante, mais si tu avais eu les parents autoritaires que j'avais, tu aurais sans doute réagi de la même façon que moi. Oui, j'étais aussi gentille qu'un pitbull en manque d'affection, mais ce n'est pas une raison pour que l'histoire se répète avec mon fils.

— Bon, je te laisse. Il faut que je file. J'ai une journée de fou qui m'attend au bureau. À ce soir!

54

Téléphone à l'école pour lui parler; il a sûrement une bonne excuse, un bon alibi pour que ta colère se change en miel, ironise le pharmacien.

Puis, il ajoute:

— Tu le surprotèges, Isabelle. Laisse-le donc respirer. En tout cas, dès que tu as du nouveau, téléphone-moi sur mon cellulaire ou au bureau, mais n'oublie pas qu'à compter de…

— Oui, je sais, à compter de 14 heures, tu as ta réunion avec le syndicat et tu ne veux pas être dérangé. Je sais, ça fait des jours et des jours que tu me casses les oreilles avec cette réunion-là.

— Mais c'est important, mon amour…

— Bon allez, du balai, tu vas être en retard. Je t'embrasse et je te t'appelle!

— Je t'aime.

— Moi aussi.

Aussitôt que la porte se referme derrière son mari, Isabelle se rue sur le téléphone. Les hommes ne sauront jamais partager l'inquiétude et l'angoisse des mères. On aura beau dire que les hommes roses sont apparus sur le marché il y a quelques années – ils n'avaient plus le choix, il fallait que ça change –, il n'en demeure pas moins qu'ils sont plutôt rose pâle. Ils ont encore des croûtes à manger avant de savoir vivre avec leurs tripes et leurs émotions chaque jour et non une fois de temps en temps, quand ça leur chante.

— Le directeur de niveau est en réunion, je vous passe la directrice adjointe, madame Visvikis, dit la secrétaire.

« Non mais, ils sont toujours en réunion, aujour-
d'hui. Leurs maudites réunions, c'est une vraie
maladie ! Ils ont tous attrapé la réunionnite aiguë ! »

— Madame Viviane Visvikis à l'appareil.
Que puis-je faire pour vous ?

— Bonjour, ici madame Isabelle Fortin, je
vous appelle au sujet de mon fils Gabriel, élève en
secondaire 5…

Visvikis joue nerveusement avec le fil du téléphone et le tournoie dans tous les sens.

— Oui, souffle-t-elle avec innocence.

— C'est que mon fils n'est pas rentré hier
soir, prétextant faire des travaux chez un ami, et
j'aimerais lui parler si possible, car je suis vraiment
inquiète. Si vous pouviez le rejoindre en classe et
lui faire le message de me rappeler.

— C'est que…

— Madame Visvikis, je suis vraiment très
inquiète et je me permets d'insister, même si je sais
que les élèves n'ont pas le droit de recevoir des
appels personnels à l'école, car je crois que c'est
une question…

La directrice adjointe prend une bonne respiration avant de couper la parole à son interlo-
cutrice :

— … votre fils n'est pas à la polyvalente,
aujourd'hui. Il a été suspendu de l'école hier pour
une durée de trois jours. Il doit revenir lundi
prochain avec l'un de ses parents.

Isabelle reste bouche bée. La main moite, elle
a failli laisser tomber le combiné. Elle se ressaisit
pour entendre :

— Gabriel est un gentil garçon, au fond, mais il a commis une bêtise et il faut qu'il réfléchisse un peu avant de réintégrer l'école.

Des mots aseptisés. Des mots de bureaucrate.

— Qu'est-ce qu'il a fait?

— Rien de bien grave en apparence, madame Fortin. Il a participé à une bataille de bouffe et…

— En effet, ce n'est pas bien grave, comparativement au fait de voler, de vendre de la drogue, d'en prendre ou de tricher aux examens…

— Restons calmes, madame Fortin. Je suis d'accord avec vous. Nous sommes des éducateurs et notre rôle n'est pas uniquement d'instruire, mais aussi d'éduquer les jeunes, de leur faire comprendre le monde, la société et ses règles de fonctionnement. Ici même au Faubourg, il y a des gens démunis et je pense que, par respect pour eux, il faut savoir se montrer ferme afin que ces batailles de bouffe ne se reproduisent plus. C'est une mode passagère, mais en attendant, c'est moi qui dois faire en sorte que ce comportement inadmissible cesse. Enfin, c'est aussi une question de respect envers ce que l'on a et que les autres n'ont pas.

— Je vous comprends et je vous approuve, dit Isabelle Fortin, à demi rassurée, mais…

— Si j'ai expulsé votre fils, reprend Visvikis, qui tient à prendre le dessus de la conversation, c'est qu'il m'a manqué de respect et que c'était l'unique solution pour le forcer à réfléchir davantage.

— Oui, mais où est-il? Où est-il? Toute cette conversation ne m'enlève pas mes craintes et mes angoisses de mère.

— Je n'ai pas d'enfants, mais cela ne m'empêche pas de comprendre ou de ressentir vos émotions, répond Visvikis ; toutefois, à l'extérieur de l'école, nous ne sommes pas responsables des élèves. Peut-être est-il chez un copain ou chez sa petite amie, s'il en a une ?

— D'accord, j'essaierai de ce côté...

Et Isabelle Fortin, découragée, raccroche mollement l'appareil.

« Pourvu qu'il ne fasse pas de bêtises », se dit-elle.

C'est en souhaitant qu'il traîne dans les rues du Faubourg qu'Isabelle saute dans son pantalon en cuir, passe un chemisier en soie et se donne un rapide coup de peigne avant de s'engouffrer dans sa BM pour partir à la recherche de Gabriel, dans l'espoir que la chance soit avec elle.

Mais la journée a bien mal commencé.

7

Petit matin
ensoleillé

Le soleil plombe dans la cuisinette et la chaleur qu'il y fait contraste avec la fraîcheur incommodante d'hier soir. En effet, Gabriel avait dû allumer le four de la cuisinière et en laisser la porte ouverte afin d'obtenir un peu de chaleur. Il s'était endormi tout habillé sur le vieux plancher de linoléum avec, pour seule couverture, ses pensées emberlificotées. Un lit plutôt dur, mais il l'avait choisi et ne voulait pas s'en plaindre.

Entrer dans cet appartement désert avait été un jeu d'enfant. Gabriel pensait devoir briser un carreau ou forcer une fenêtre, mais rien de tout ça n'avait été nécessaire. Une fenêtre au sous-sol, donnant dans la cuisine, avait été mal fermée et le tour était joué.

Louis Dumais possède une trentaine de logements du genre dans le vieux Faubourg et s'apprête à les rénover avant de les louer en septembre. Ce sont des acquisitions récentes et il attend le permis de l'administration municipale pour les rendre conformes aux nouvelles normes de sécurité et plus confortables. Comme s'il fallait un permis pour embellir les choses! Il doit, entre autres, détruire les vieux hangars, de vrais «nids à feu» selon le service des incendies, pour les remplacer par des remises plus sécuritaires. Il doit aussi replâtrer par endroits, repeindre et refaire quelques galeries. Ces travaux représentent plusieurs milliers de dollars, mais le paternel en a les moyens et, s'il a acheté ces taudis pour une bouchée de pain, ce n'est pas pour perdre de l'argent. D'autant plus que son père – il lui en avait glissé un mot un jour – a l'intention d'implanter une nouvelle pharmacie dans le coin. Selon Gabriel, il s'amuse à jouer au Monopoly depuis vingt ans, à la différence que c'est avec de l'argent véritable et avec de vraies maisons.

Le soleil plombe dans la petite cuisine…

Gabriel se lève enfin et regarde dehors… sans rien voir, le regard vague, perdu déjà dans ses pensées. Il tourne en rond autour de lui, de sa vie, de sa famille, de sa place dans cet univers. Qui est-il? Où s'en va-t-il? Qu'est-ce que la vie pour lui?

Gabriel regarde l'heure: midi et demi!

Rarement s'est-il levé aussi tard. «Et si c'est le cas, c'est que j'en ai besoin», se dit-il.

Gabriel se dirige vers la salle de bains pour se doucher. Après avoir réglé l'eau à la bonne température, il s'aperçoit qu'il n'a ni savon, ni serviette, ni shampooing. Autant de petits détails qu'il devra régler bientôt.

Il retourne à la cuisine et ouvre le réfrigérateur par pur réflexe. Bien sûr, rien. Par chance, il y a encore l'eau courante et l'électricité. Gabriel fouille dans ses poches; il lui reste assez d'argent pour passer encore quelques jours. Il en sera quitte pour aller déjeuner dans une binerie.

Gabriel sort avec la plus grande discrétion. Il marche et respire à pleins poumons l'air du Faubourg. Ça sent le printemps, un mélange de jeunes feuilles et de lilas avec, en prime, une petite odeur de liberté. Il flotte d'un pas léger en souriant aux arbres, au ciel qu'il trouve si bleu aujourd'hui. C'est vraiment une belle journée et il se sent maintenant presque heureux de vivre. D'être seul. Il se sent à des années-lumière de La Passerelle, de Visvikis, de la copie à faire, de son père, cet étranger qu'il connaîtra peut-être un jour, si l'un des deux se donne la peine de faire les premiers pas.

Il se sent à des années-lumière de Caroline, de son sourire Crest, de sa beauté, de ses bras, mais c'est comme ça. Il devrait l'appeler, elle qui a rapidement pris l'habitude de lui parler chaque soir, même si elle n'a rien de particulier à lui raconter. Ah! et puis, ils peuvent bien sécher, tous autant qu'ils sont! Il a le goût de penser à lui, de ne rien faire, de flâner un peu, de faire une halte dans sa vie.

Il se sent à des années-lumière de tout ce monde, mais une pensée furibonde lui traverse l'esprit : sa mère. Il faudrait bien qu'il donne signe de vie à sa mère pour qu'elle ne panique pas. Les mères, ça panique tellement vite !

Il lui téléphonera tantôt, après avoir mangé un peu, après avoir lu quelques pages de son livre préféré : *L'étranger* d'Albert Camus. C'est la troisième fois qu'il le lit. Et cette lecture le bouleverse encore. Il en savourera encore quelques pages avant d'appeler sa mère pour lui lire le petit texte qu'il a écrit pour elle, sur un napperon. Il profitera du fait qu'elle est au bureau ou sur la route pour lui dire tout ça au répondeur.

Bonjour maman,

Je suis encore en vie. Ne t'inquiète pas. Je ne suis pas sur le Titanic, je suis encore au Faubourg. J'ai besoin d'un break de tout le monde. Je me suis fait sacrer à la porte de l'école pour une niaiserie. Il n'y a rien de grave et je vais probablement y retourner la semaine prochaine. Mais sûrement pas lundi, juste pour embêter la grosse Viskivis. Maudit qu'elle est chiante ! Je vais y retourner parce que je suis raisonnable, parce que je sais bien qu'il ne reste que quelques jours avant la fin de l'année et que ce n'est pas le temps de tout lâcher quand on est presque rendu au fil d'arrivée. J'ai entendu si souvent ce discours-là que je suis capable de te le réciter par cœur, à l'endroit et à l'envers.

Bon, je me débrouille pas si mal que ça.
J'ai une place pour dormir… non, ce n'est
pas chez Félix. Toutes mes excuses pour ça
aussi. Non, je ne fais pas de cinéma. Non, je
ne fugue pas et je te répète que j'ai seulement
besoin d'un break pour décompresser un peu.
Tout devrait rentrer dans l'ordre d'ici quel-
ques jours. D'ailleurs, je me sens déjà un peu
mieux. Juste de ne pas voir la cravate de mon
père et ses maudites cotes à la Bourse, ça me
repose. Bon, je te laisse. Ne te tracasse pas
trop pour moi. Je te donnerai d'autres nou-
velles bientôt. Ciao.

Et, pour la forme, il avait eu envie d'ajouter :
«Salue p'pa pour moi…», mais il s'en était
abstenu. Qu'il aille au diable, avec son fric et ses
pharmacies !

Puis, Gabriel raccrochera et il ira flâner et
humer l'air de la grande ville.

L'air de la liberté.

8

Qu'est-ce qu'il lui faut de plus?

Louis Dumais dénoue sa cravate. Il s'installe derrière son bureau pour souffler un peu, il pousse quelques jurons bien sentis, puis, il prend le téléphone et presse la touche numéro 12, qui le mettra automatiquement en communication avec sa femme. Le temps, c'est de l'argent.

Bonjour, c'est moi. As-tu des nouvelles de Gabriel?

J'allais te téléphoner, mais je me suis ravisée en regardant l'heure; je ne voulais pas te déranger pendant ta réunion. Oui, Gabriel m'a téléphoné, mais je ne lui ai pas parlé, il a laissé un message sur le répondeur. Heureusement que j'ai pris mes messages à distance.

Il va bien?

— Je pense que oui, mais je m'inquiète quand même. Je ne sais pas où il est, je ne sais pas où il couche, ce qu'il fait, etc.

— Comment!!! Il ne rentre pas ce soir? Qu'est-ce qui lui prend?

— Tu n'as pas l'air de te rendre compte que Gabriel est en pleine crise. J'espère seulement qu'il ne nous claque pas une dépression.

— Une dépression pour quoi? Il a tout. Il ne lui manque rien. Strictement rien: un ordinateur, un lecteur de disques compacts, une table de billard, deux guitares électriques, il fait du ski quand il veut, il a une chambre immense et un écran plasma pour lui tout seul. Qu'est-ce qu'il lui faut de plus? La lune et les étoiles?

— Ce n'est pas parce qu'on a tout qu'il ne nous manque pas quelque chose, rétorque Isabelle. On peut tout avoir et être malheureux quand même…

— Tu as raison, j'ai tout un paquet de problèmes et je m'en fais pour rien. De toute façon, toi aussi, tu t'en fais pour rien. Tu es une vraie mère poule, la preuve: il est en vie, il t'a téléphoné, ça devrait suffire, non? Il a pris la peine de te rassurer. Ce n'est quand même pas rien et tu t'en fais encore! Il n'est peut-être pas aussi en crise que tu le penses.

— Ah! Louis, tu minimises toujours tout. Il n'y a que tes problèmes à toi qui sont gros comme la planète. Gabriel file un mauvais coton ces temps-ci et j'aimerais être là pour l'aider. Tu ne comprends pas?

— Bien sûr que je te comprends, sinon je ne t'aurais pas appelée pour te demander des nouvelles, non?

— C'est vrai.

— Bon, moi aussi je me fais du mauvais sang… C'est mon fils, après tout.

Isabelle sourit.

Louis ne dit pas un mot de ce qu'il pense profondément. Comme s'il n'avait pas assez du syndicat pour lui créer des problèmes, il fallait que Gabriel en rajoute une couche. Tout réussir lui apparaît impossible : la famille, le mariage, les affaires… Et d'ailleurs, des enfants, il n'en avait jamais voulu. Les enfants, ça l'a toujours embêté. Même l'idée d'en avoir un l'emmerdait au plus haut point. Mais Isabelle avait tellement insisté… et il l'aimait à la folie. Il ne voulait pas la perdre et finalement, il lui avait fait un enfant pour lui faire plaisir. Mais lui, dans tout ça?

— Et ta réunion? Le syndicat se montre-t-il aussi intransigeant que tu le craignais? demande Isabelle.

— Intransigeant n'est pas le mot! Les négociateurs syndicaux pensent que nos ressources financières sont illimitées. Ils ne semblent pas comprendre que la crise économique nous touche aussi. Leurs demandes salariales sont farfelues. Mais tu connais le principe : ils demandent un éléphant et on va finir par accoucher d'une souris. Et tout le monde sera mécontent, c'est inévitable. Pour l'instant, c'est l'impasse totale. J'espère seulement qu'on n'aura pas une grève sur les bras. Il ne manquerait plus que ça !

— Tu vas rentrer tard, ce soir ?

— Je ne sais pas, mais ne m'attends pas pour souper… Par contre, je vais rentrer coucher, moi !

— Très drôle… Même tes malheurs syndicaux ne t'ont pas fait perdre ton sens de l'humour.

— Ni le sens des affaires. Bon, je te laisse, on a fait une pause pour calmer les esprits, mais je dois retourner en réunion. Je te téléphonerai au cours de la soirée pour prendre des nouvelles… Si jamais je lui mets la main dessus, lui, il va savoir comment je m'appelle !

— Louis, calme-toi, calme-toi. Je m'en occupe. D'ailleurs, les relations humaines, ça n'a jamais été ton fort.

— Comment ça ?

— La preuve, tes problèmes avec ton syndicat…

— Ce n'est pas pareil. On s'en parlera une autre fois.

— C'est ça, une autre fois… Je t'embrasse. Bonne fin de réunion et essayez de vous entendre.

— Moi aussi je t'embrasse. Et surtout, ne t'inquiète pas trop pour Gabriel. La jeunesse est une maladie qui guérit avec l'âge… et c'est un pharmacien qui te le dit.

Isabelle raccroche encore songeuse, mais tout de même heureuse de voir que Louis a pensé à s'informer de Gabriel et qu'il s'inquiète un peu. Au moins un tout petit peu. Mais pour Isabelle, avoir des nouvelles n'est pas suffisant. Elle doit en avoir le cœur net et revoir Gabriel le plus vite possible. Le voir, le toucher, le prendre dans ses bras, sentir son odeur, sa présence, pour le rassurer tout en se rassurant elle-même.

Isabelle compose pour une autre fois le numéro du cellulaire de Gabriel. Toujours pas de réponse. Pas d'accès à la boîte vocale non plus. La pile doit être morte, comme disait Félix.

Puis elle hésite. Même si sa démarche a l'air idiote, Isabelle ira jusqu'au bout de sa pensée. Elle décroche le combiné et compose le numéro de Caroline.

— Bonjour, Caroline, c'est Isabelle Fortin. Tu ne saurais pas où Gabriel se trouve, par hasard?

Caroline sait tout. Ou du moins, elle croit savoir, mais elle ne dira rien, préférant garder son secret pour elle.

Pour elle toute seule.

Son secret et son beau Gabriel…

9
L'étranger
de minuit

Il fait déjà nuit.
Gabriel a passé la journée à marcher, à flâner au parc, à regarder les enfants se balancer et rire aux éclats comme eux seuls savent le faire. À regarder aussi les vieilles dames qui donnent à manger aux pigeons, celles qui marmonnent toutes seules, celles qui passent des journées entières à parler de leurs petits et de leurs gros bobos, celles qui rêvassent au passé, au temps qui s'étire trop longtemps, jusqu'à l'ennui, aux petits bonheurs qui s'envolent au moindre coup de vent de la vie, à ces jeunes écervelés qui n'ont plus de respect pour rien.

Gabriel n'a rien fait de bon, aujourd'hui. Rien de bon au sens où on l'entend généralement. Il se sent clandestin, étranger. Seul sur ce banc à faire semblant d'attendre l'autobus alors que tous les autres sont au travail, à l'école. Ne rien faire de précis et se dire tout bas que l'école, c'est sans doute mieux que le travail et que, dans la vie, il y a toujours quelqu'un qui te pousse dans le dos ou qui te dit quoi faire. Si ce n'est pas ton boss, c'est le prof, si ce n'est pas le prof, ce sont les parents. Au fond, l'école et le travail ont plusieurs similitudes. La solution : être patron comme son père, mais là encore, ce n'est pas de tout repos, il y a les associés, le syndicat, l'économie... Il y a toujours quelque chose ou quelqu'un pour te faire aller plus vite, pour te faire changer d'idée, pour te contrôler, pour t'empêcher de faire ce dont tu as profondément envie. La vraie liberté n'existe pas. En tout cas, la liberté et la société ne font pas bon ménage. Drôle de vie que celle des humains...

Ce soir, Gabriel pense à tout ça en marchant pour se rendre chez lui, dans son nouveau palace semi-meublé. Tout compte fait, il n'a pas téléphoné à Caroline. Il n'a pas trouvé au fond de son cœur le goût de lui parler. Il n'a d'ailleurs pas téléphoné à son meilleur ami Félix. Mais il ne se sent pas coupable envers elle ni envers personne.

Il a mis sa mère au courant et ça suffit pour l'instant. Quand on veut être seul, ce n'est pas la peine d'avertir l'armée. Aujourd'hui, il a pensé à ses copains, un peu à Caroline et à sa mère, mais pas du tout à son père. Il se demande bien d'ailleurs pourquoi il se sent si étranger à son père. Il l'aime sans doute, au fond, mais le fond est loin, très loin. Il n'y a jamais eu de grandes manifestations de tendresse entre eux. Gabriel ne parvient même pas à se souvenir quand son père l'a embrassé la dernière fois. Il devait être bien jeune. À quand remonte la dernière fois où son père l'a pris dans ses bras pour lui dire qu'il l'aime ? Lui non plus n'a pas fait grand-chose, il faut bien l'avouer, pour se rapprocher de lui et lui dire qu'il l'aime et qu'il a besoin de lui. La tendresse entre gars est souvent bien enfouie dans une malle qui, elle, reste bien cachée dans un coin sombre du grenier des émotions masculines. Gabriel poursuit sa marche vers son repaire.

Le ciel est dégagé et les étoiles sont au rendez-vous. La Terre est belle… Si seulement les Hommes s'en occupaient mieux, elle pourrait rester comme ça longtemps. Si seulement…

Gabriel passe par la ruelle et exécute le même manège que la veille pour pénétrer dans le petit quatre et demi. Sans faire de bruit pour ne pas alerter les voisins d'en face, car il y a toujours quelqu'un debout en pleine nuit pour écornifler à la fenêtre, Gabriel atterrit en douceur dans la cuisine. Il fait quelques pas pour allumer la lumière de la cuisinière. Tout à coup, on lui saute dessus avec fureur.

Gabriel se débat du mieux qu'il peut. Comme il n'est pas le genre à se battre à l'école, il a peu d'expérience et se retrouve en moins de deux le visage contre le plancher, un bras ramené derrière le dos. L'assaillant lui donne deux violents coups de poing dans les côtes. Gabriel hurle de douleur.

Comme si ce n'était pas assez, l'autre applique solidement son genou au centre de sa colonne vertébrale pour mieux le clouer au sol. Puis, de sa main, il encercle la nuque du jeune pour le maîtriser parfaitement. Gabriel étouffe sous le poids de son agresseur et respire avec difficulté. L'homme le sait et ne desserre pas son emprise ; il semble même s'en amuser.

Dans un éclair, toutes les manchettes sanglantes du *Journal de Montréal* défilent sous les yeux de Gabriel.

— Qu'est-ce que tu fous ici ? murmure une voix, sur un ton hostile.

Gabriel articule avec peine. L'assaillant soulève un peu son genou tout en maintenant l'étreinte au niveau de la nuque. Il voit bien que son adversaire n'est pas de taille.

— Je viens coucher ici.

Gabriel n'est quand même pas pour dire qu'il est chez lui et que c'est l'autre, l'intrus. Il n'a pas le gros bout du bâton et, de toute façon, son agresseur ne le croirait pas.

— Trouve-toé une autre place, bonhomme, icitte, c'est chez nous maintenant !

— O.K., répond faiblement Gabriel, mais j'étais ici avant toi.

— Avant moé, ricane l'autre. Comment ça se fait, jeune épais, que c'est moé qui est icitte avant toé ? Y a quelque chose qui cloche dans ta p'tite tête.

— C'est moi qui ai découvert cette place hier soir, dit péniblement l'adolescent, la bouche presque collée sur le linoléum.

— Peut-être, mais maintenant, c'est moé qui suis icitte astheure. Qui va à la chasse perd sa place. Tu devrais savoir ça à ton âge.

— Écoute, il est tard, on pourrait s'arranger pour ce soir, il me semble, propose Gabriel. C'est quand même assez grand pour deux ici. Choisis la pièce que tu veux, j'en prendrai une autre, c'est tout. Demain, je te promets d'aller ailleurs.

Après quelques instants de réflexion, l'autre grogne un « ouais » à peine audible et ajoute :

— C'est un deal. Ça nc m'arrange pas tellement, mais on va dire que ça va faire pareil.

Puis, l'assaillant relâche son emprise. Gabriel est soulagé au sens propre et au figuré. Il se lève en massant son bras et sa nuque et dit :

— Tu aurais pu m'étrangler, tu sais.

— Et pis après ? On aurait découvert ton cadavre et t'aurais fait la huitième ou la vingtième page du *Messager du Faubourg*. Ni vu ni connu. *Un jeune adolescent trouve la mort dans une maison inoccupée.* Le crime parfait, si facile à faire. Pour le simple plaisir de tuer. Dire qu'y en a qui pensent que le crime parfait n'existe que dans les romans policiers ! C'est pourtant si simple de tuer quelqu'un… si simple, quand on y pense deux secondes. N'importe qui dans la rue, un innocent, en pleine nuit, on se glisse dans un appart et pis couic ! Un peu de sang ou beaucoup et pis plus rien. Ça s'appelle la mort après la vie.

Il rit. Il hurle. Fort. Très fort. À faire peur.

Le sang de Gabriel se glace d'effroi. Il sent tout de suite qu'il a intérêt à faire ami-ami avec cet inconnu, sinon ça pourrait mal tourner pour lui.

— Tu fumes?

— Non, répond Gabriel.

— Tant pis pour toé parce que c'est du bon stock.

Gabriel le dévisage un moment. Il doit avoir 23, 24 ans tout au plus. Filiforme, mal rasé, des jeans noirs pleins de trous, des bottes western usées à la corde, les mains crasseuses, les cheveux huileux, une haleine fétide. Il le regarde se rouler une « cigarette ».

— Tu veux mon portrait?

— Non, je me demandais comment tu t'appelais.

— Simon, je m'appelle Simon, Simon… mon nom de famille ne te regarde pas… mais tout le monde m'appelle Sid. J'sais pas pourquoi. Pis toé?

— Moi, c'est Gabriel.

— Ça fait longtemps que tu traînes dans le coin?

— Non, deux ou trois jours.

— C'est super comme planque, ici.

— Ouais, mais ça ne durera pas. Les travaux de rénovation vont bientôt commencer et on devra partir d'ici.

— Comment ça se fait que tu sais ça?

— C'est écrit sur la pancarte en avant de la bâtisse, tu ne l'as pas vue?

— Non, j'l'ai pas vue.

Simon n'a pas du tout envie d'avouer à un parfait étranger qu'il lit avec difficulté et que tout ce qui est écrit devient vite pour lui du chinois. Bien sûr, il est allé à l'école, mais c'était davantage pour se tenir en gang et faire des mauvais coups que pour apprendre.

— Ouais, d'ici une semaine au plus tard, les travaux devraient commencer.

— Une semaine, c'est au boutte, man! s'écrie Simon, jamais j'ai été aussi longtemps à même place.

— Tu n'as pas de parents? demande Gabriel.

— Mais oui, mon petit coco, dit Simon, en lui tapochant la joue comme à un bébé, on a tous des parents un jour ou l'autre; sauf que certains ne restent pas longtemps dans notre vie. À vrai dire, j'ai jamais connu mon vrai père ni ma vraie mère. Elle a été forcée, j'sais pas pourquoi, de m'abandonner quand j'avais quatre ans et demi. Je suis resté chez une de ses amies durant quelques années, mais vu que j'étais un enfant du diable, elle s'est vite débarrassée de moi. Scram! Out! Fais de l'air, Fred! Elle avait pas tellement le choix. Je faisais chier tout le monde. J'le faisais exprès et ça me faisait plaisir. J'étais très conscient de tout ça, malgré mon jeune âge. J'étais vraiment pas sortable, tsé veux dire. Pis après, les foyers. Une famille d'accueil attend pas l'autre. Quand les gens te gardent chez eux, c'est pour faire du fric. Pis si c'est trop dur de faire du fric avec un enfant impossible, tu te retrouves ben vite dans un autre foyer… jusqu'au jour où il n'y a plus personne qui veut t'avoir. Ça fait que là, y t'reste la rue… et les ruelles, surtout.

Simon tire une bouffée et libère la fumée par les narines en se donnant un air vachement viril; plus viril que ça, t'as un cancer du poumon.

— T'en veux pas, t'es sûr?

— Non, je m'étoufferais… C'est niaiseux à dire, mais je ne sais pas fumer, avoue Gabriel. En fait, je n'ai jamais fumé.

Simon se met à rire. Un rire diabolique. Sid est plié en deux.

— Y sait pas fumer, répète-t-il en riant. Y sait pas fumer. Est ben bonne, celle-là.

— C'est pas un crime de ne pas savoir fumer. Ça ne m'a jamais rien dit, c'est tout, y a pas de quoi rire, rétorque Gabriel, vexé. De toute façon, ce n'est pas bon pour la santé.

— La santé? Ah! la santé, pour ce que j'en ai à foutre de cette chienne de vie. Le plus vite que j'vas crever, le mieux j'vas être. Mais toé, qu'est-ce que tu fais icitte? Tu me l'as pas dit?

— Oh moi, je me suis fait mettre à la porte de l'école.

— Pourquoi?

— Pour une bataille de bouffe.

— Une niaiserie!

— C'est ce que je me dis.

— Pis té parti de chez toi pour ça?

— Oui et non. J'avais le goût de changer d'air. À vrai dire, je ne sais pas tellement quoi faire de ma peau. Je marche, je flâne. On aura beau dire, mais l'école, c'est toute une routine et, quand on est en congé forcé, on ne sait pas quoi faire de ses dix doigts, on se retrouve un peu désorienté.

— Tu penses drôle, en tout cas. Moé, l'école m'a assez fait suer que j'y remettrais pus les pieds pour tout l'or du monde.

— C'est sûr que c'est suant, mais c'est la seule façon de s'en sortir. Ceux qui lâchent se retrouvent dans la rue et...

Gabriel ne termine pas sa phrase. Il sent déjà qu'il est allé trop loin sans le vouloir.

— Continue ta phrase, mon p'tit criss. Ceux qui lâchent l'école, hein! ceux qui lâchent l'école se retrouvent dans la rue pour le reste de leurs jours, sur le BS, sur la dope, sur l'assurance-chômage quand ils ont la chance de trouver un emploi et de le garder assez longtemps pour recevoir un petit chèque du gouvernement une fois par quinze jours. Dis-lé, des parasites, des fuckés, des punks, des bums, dis-lé...

— Non, ce n'est pas ça que j'ai dit.

— Non, mais tu l'as pensé.

— C'est sorti tout seul... Excuse-moi, je ne voulais pas te blesser.

Gabriel ne ressemble en rien à Simon, c'est juste une erreur de parcours dans son cas. Il rentrera d'ailleurs bientôt dans les rangs. C'est une question de jours, tandis que Simon...

— Mon p'tit criss! Tu sauras qu'à soir, on est pris dans la même marde et que c'est pas un p'tit morveux avec des beaux jeans et un beau p'tit coat en cuir à quatre cents piasses qui va venir me faire

79

la morale. La morale, j'en ai assez entendu dans ma vie, ça fa que farme-la, O.K. esti!

— Fâche-toi pas. Je ne dirai plus rien. T'as pas été chanceux, c'est tout. L'école, c'était pas ton bag, t'as pas eu de parents, ça se comprend.

Simon ne l'écoute pas.

— Écoute ben, bonhomme, moé, j'dois rien à personne. O.K., je traîne, j'fais rien de mes dix doigts, mais j'demande rien à personne. J'quête pas, chu autonome. Okay, j'fais des petits vols de temps en temps, icitte et là, un peu de contre-bande de cigarettes ou de dope quand ça adonne, mais j'me débrouille tout seul et j'demande rien à la société. Chu pas sur le BS ni sur l'assurance-chômage, man, j'refuse d'être dans ce maudit système pourri. J'aime mieux être pauvre, mais libre, libre de tout ça. Chu pas un parasite.

— Fâche-toi pas. Prends ça cool…

Les poings serrés, une colère sourde au fond des yeux, Simon poursuit:

— J'me fâche pas, j'te dis c'qui en est. Y a jamais eu un criss qui a voulu me laisser ma chance. Si j'avais une job, ben sûr que j'travail-lerais, mais… pas en bas de dix piasses de l'heure, par exemple; j'ai ma fierté.

— Tu dis ça, mais il y a sûrement quelqu'un qui t'a donné une chance dans la vie et, tu n'as pas su, pour un paquet de bonnes raisons, remarque, profiter de cette occasion-là. C'est normal, ça arrive à tout le monde.

— Non, y a jamais…

Simon ne finit pas sa phrase lui non plus.

C'est vrai, il n'a pas su profiter des petites chances qui passaient, trop révolté pour accepter quoi que ce soit.

Trop rebelle.

— Maudite vie! Quand ça part mal, quand ça part tout croche, t'as toutes les misères du monde à redresser ça.

— Bof, ta vie est pas finie. T'es tout jeune, t'as pas 25 ans.

— J'ai pas 25 ans, j'en ai 17.

Soudain, Gabriel trouve que Simon a l'air pas mal ravagé pour 17 ans. Les coups de la vie laissent toujours des traces indélébiles.

— Où te tiens-tu, d'habitude? demande Gabriel.

— Coudonc, travailles-tu pour la police, toé?

— Mais non, je m'informe, c'est tout.

— D'habitude, je me tiens à l'Abri. C'est une place ben cool. Y a de la musique pis du café en masse. J'ai des chums, là. On joue au pool. On fume. On flirte les filles. On leur pogne les fesses de temps en temps. On a du fun.

— Moi aussi, je joue au pool, man.

Évidemment, Gabriel ne veut pas lui dire qu'il a une table pour lui tout seul et qu'il joue dans son sous-sol quand bon lui semble et que ça ne lui coûte rien.

— On devrait jouer quelques parties ensemble, propose Simon.

— Ouais, c'est une bonne idée.

— Demain, à l'Abri, ça te dirait?

— Ben sûr, pourquoi pas!

— O.K., bon ben, il va ben falloir dormir si je veux être en forme pour te donner une volée demain, au pool.

— Ouais, t'as besoin de refaire tes forces si tu veux me battre, dit Gabriel.

Gabriel s'avance vers Simon et il lui tend la main. Sid est surpris, mais il ne refuse pas la main tendue vers lui.

— On est chums, lance Gabriel.

— Wow, pas si vite, man. Disons qu'on fait la paix, réplique fermement Simon.

— T'es drôle, t'es méfiant comme c'est pas possible!

— Non, être chums, ça veut dire beaucoup pour moi. On devient pas chums en dix minutes. Quand on est chums, c'est à la vie, à la mort. J'sé pas si tu comprends ça?

— Oui, j'comprends. T'as raison, dit Gabriel. J'ai toujours été trop vite en affaires.

— Mais t'as l'air d'un bon gars et on pourrait être chums… un jour, mais je ne me fais pas d'idées là-dessus. On n'est pas du même monde pis ce genre d'amitié-là, ça pourrait pas durer longtemps.

— Si tu veux une job assez payante, dit Gabriel pour changer de sujet, j'connais un propriétaire de pharmacies qui pourrait peut-être t'engager.

— Ouais, j'dis pas oui, mais j'dis pas non, non plus.

— Il a beaucoup de pharmacies et je le connais pas mal. Y pourrait peut-être te trouver quelque chose, vu que tu es disponible.

— C'est parent avec toi?

— Ouais, c'est ça, c'est parent avec moi, on va dire. Je pourrais lui téléphoner demain, si tu veux. Bon, on dort maintenant. Je suggère qu'on dorme dans la cuisine, c'est plus chaud, parce qu'on peut ouvrir le four.

— Pas bête, pis t'es pas menteur. Ça paraît que tu connais la place.

Sid s'endort rapidement. Gabriel, les yeux grands ouverts, réfléchit à ceux qui ont eu moins de chance que lui dans la vie. Comme Sid, qui est juste à côté de lui.

C

Il doit être trois ou quatre heures du matin lorsque Gabriel entend du bruit dans la cuisine. Il se retourne pour se rendormir, tout recroquevillé sur lui-même. La nuit est fraîche et il s'ennuie de son lit douillet. Mais à peine s'est-il retourné que quelqu'un lui saute dessus en lui assénant des coups de poing déments. Plaqué contre le plancher, incapable de se relever pour tenter de se défendre, Gabriel encaisse les coups en criant. Les coups pleuvent. Les coups de poing tombent comme des clous sur son corps. Dans les côtes. En pleine figure. Des coups de pied aussi. Partout. Gabriel se protège du mieux qu'il peut avec ses bras en gardant la position de l'œuf. Soudain, des mains qui fouillent partout. En moins de deux, ses poches de jeans sont vides. Son manteau de cuir a disparu. Il n'a plus rien. Seulement la douleur et la honte de s'être laissé faire. La honte de l'impuissance. La honte de l'injustice. Le désarroi d'avoir été là le mauvais soir à la mauvaise place.

À côté de lui, Sid gémit aussi. En silence. Comme s'il en avait l'habitude. La douleur et le sacre. Il sacre en murmurant des noms. Durant quelques secondes, Gabriel a pensé que c'était Simon qui le frappait, qui lui faisait les poches et qui lui volait son *coat* de cuir. Mais non, ils devaient être trois ou quatre, sinon plus.

Gabriel risque:

— Tu connais ceux qui ont fait le coup?

— Oui, ils me cherchent depuis une couple de jours, pis y vont en manger une maudite, les sacraments, si je les pogne. J'ai pas dit mon dernier mot. J'ai des chums, moé aussi; j'finirai ben par les retrouver, pis ça s'ra pas long, calvaire!

— J'ai mal partout. Y m'ont pris tout ce que j'avais.

— Combien?

— Soixante-dix piastres, à peu près.

— Quoi? Combien?

— Soixante-dix piastres, peut-être plus, pourquoi?

— Pour savoir. J'ai jamais eu ça de toute ma chienne de vie! Maudit bourgeois, j'le savais ben que t'étais rien qu'un p'tit criss de bourgeois.

L'argent n'a pas d'odeur, qu'y disent. Ben c'est pas vrai. On a la preuve à soir. Ils ont vite flairé ton cash pis ton coat.

— En tout cas, il ne me reste plus rien, maintenant. Et ils ont piqué mon cellulaire aussi.

— Je m'en fiche pas mal, si tu veux savoir.

Le sang coule sur le menton de Gabriel. Un mince filet. Il s'essuie avec le revers de sa manche de chandail. « Pourvu que ce ne soit pas trop grave », pense-t-il. Mais il a tellement mal partout qu'il ne peut pas se lever pour vérifier l'étendue des dommages dans le miroir de la salle de bains.

— Ça va, toi? demande Gabriel.

— Non, pas du tout, mais ça pourrait être pire. Mon p'tit criss… Tout ça, c'est de ta faute.

— Mais je n'ai rien fait! C'est toi qu'ils cherchaient, tu l'as dit tout à l'heure.

— Tu me portes malheur, c'est-tu assez clair? Entends-tu? Tu me portes malheur. J'sacre mon camp d'icitte.

— Non, Simon, reste! S'ils reviennent, ils vont encore me battre.

— Mais non, y reviendront pas. J'pense pas, en tout cas. Y t'ont tout pris ce que t'avais. Y a pus de danger, maintenant. Y reviendront pas. Tu peux rester tranquille icitte le reste de la nuitte. Mais demain, un bon conseil, bonhomme, change de place.

— Ouais, mais tu pourrais rester avec moi quand même.

— Non, c'est décidé; j'scram'.

Simon se relève avec difficulté. Il grimace. Il a encaissé de nombreux coups de pied dans la poitrine.

— J'dois avoir une côte de fêlée, c'est sûr.

— Moi aussi, quand je respire, ça me fait mal.

— Ben c'est ça, respire pas… pis toute la planète va s'en porter mieux. En attendant, moi j'décrisse. Salut !

— Simon… Sid…

Gabriel n'insiste plus. Simon a franchi la porte de la cuisine sans se retourner. Sans dire un mot de plus.

Gabriel est seul. Terriblement seul. Il voulait être seul… mais pas de cette façon-là et pas cette nuit-là.

Gabriel pleure en silence. Ça lui fait du bien. Il ne pense à personne. Il écoute son corps qui a mal et qui veut prendre tout son temps pour récupérer. Il pense aussi qu'il y a des moments dans la vie où on ne veut pas être seul. Difficile de savoir ce qu'on veut vraiment. Difficile d'avoir quelqu'un à ses côtés à l'instant précis où on en a besoin.

10

Comme un
chien battu

Gabriel somnole, couché comme un chien battu. Il n'a pas dormi, car la douleur a fait fuir son sommeil. Toujours dans les vapes, Gabriel n'est plus tout à fait dans ce monde. Il essaie d'endormir son corps en même temps que sa déception, mais la tâche est trop lourde, voire impossible. En plus, le soleil inonde la cuisine. Pas moyen d'avoir la paix.

On frappe à la porte. Elle s'ouvre tout doucement.

Gabriel se retourne. L'angoisse lui ronge le ventre. «Le malheur frappe toujours deux fois», se dit-il avec ironie.

Une mince silhouette fait son apparition sur le mur de la cuisine. Le soleil est derrière elle et Gabriel distingue mal le visage de l'inconnue.

— C'est moi…

— Qu'est-ce que tu viens faire ici? demande faiblement Gabriel en ramenant de peine et de misère sa carcasse contre le mur.

C'est Caroline. La belle, la grande Caroline. La fille au sourire Crest. Le sourire que des dizaines de gars de la poly aimeraient embrasser.

— Je suis venue te voir. J'ai senti que tu avais besoin de quelqu'un, que tu avais sans doute besoin de moi. J'ai laissé aller mon intuition et me v'là!

— Toi et tes antennes. On dirait une vraie sorcière, dit-il en grimaçant.

— Bof, ce n'était pas très sorcier, je savais que ton père possédait des immeubles en rénovation, tu me l'as dit, l'autre jour; et j'ai fait le rapprochement. Tu as mal?

— Oui, partout. J'ai mangé une maudite volée, la nuit passée. Je n'ai plus d'argent, je me suis fait piquer mon jacket, j'ai faim, j'ai mal dormi et j'ai toute la misère du monde à bouger. Bref, tout va très mal, madame la Marquise.

— Mais non, je suis là. Je vais t'aider.

— Je suis bien mal placé pour refuser.

— Raconte-moi ce qui s'est passé.

Gabriel a l'impression d'entendre sa mère. Quand il était petit, sa mère lui disait souvent « Raconte-moi tout. »

Et Gabriel raconte tout, mais en sautant des bouts, quand même. Il n'a pas le goût de tout révéler. La présence de Caroline le réconforte, mais il ressent un malaise. Tout n'est pas clair.

— Et à La Passerelle, toujours la petite routine?

— Oh! non, c'est plutôt l'enfer, le vrai bordel. Figure-toi qu'il y a eu une pétition des élèves pour l'installation de distributrices de condoms dans les polyvalentes de la Commission scolaire et que les commissaires, avec leur grande intelligence et leur gros bon sens, ont refusé. On parle souvent d'abolir les postes de commissaire dans les journaux. Je pense que ça ne serait pas une mauvaise idée. Commissaire… à rien de bon… pour La Passerelle, en tout cas, ça ne serait pas une grosse perte.

— Les commissaires ont refusé! On ne parle que de MTS et de sida partout, toujours, et ils refusent malgré tout d'installer des distributrices de condoms! Franchement, c'est à se demander sur quelle planète ils vivent! Évidemment, à leur âge, la baise n'est plus qu'un vague souvenir. Et les profs?

— Les opinions sont partagées, mais le conseil étudiant a tout de même décidé de prendre les devants et il organise une manifestation pour contester cette décision stupide. Par contre, on a le conseil d'établissement avec nous.

— C'est quand, la manif?

— Lundi midi.

— Ça tombe bien, je n'ai pas d'école!

— Arrête de déconner. Tu penses venir?

— Si je peux marcher, oui. Ça devrait. Juste l'idée d'écœurer la direction de l'école, et en particulier la Visvikis, ça ne me déplaît pas du tout, même que ça me redonne des forces.

— C'est super, la gang va être contente d'apprendre ça.

— C'est quand même bizarre d'être obligé de manifester pour des condoms! Pour la langue française qui fout le camp, je comprendrais, pour de meilleures conditions de travail, contre le racisme, contre la guerre, d'accord, mais pour des condoms… franchement!

— C'est une question de principe. Je pense aussi que la gang du conseil étudiant est en mal de pouvoir et que c'est leur gros trip de faire sortir les étudiants pour une affaire ou pour une autre.

— Le mal du pouvoir, ça commence jeune…

Puis, le silence se fait lourd. Caroline se mordille les lèvres. Elle regarde Gabriel. «Mon Dieu qu'il est beau… malgré ses ecchymoses, son œil amoché, sa lèvre enflée. Si je pouvais trouver le moyen de le séduire, de le faire craquer, de le faire pâmer d'envie, de désir. Il est là, à mes côtés; il pourrait au moins me prendre la main. C'est pas trop forçant, il me semble.»

— Tiens, dit Caroline, en lui tendant une enveloppe brune.

— C'est quoi?

— C'est un cadeau… c'est ta copie. J'ai copié pour toi les dix pages de dictionnaire que tu devais faire.

— Tu n'aurais pas dû faire ça. Mais cela a dû te prendre un temps fou! Tu es vraiment une chic fille, Caroline. Je te remercie beaucoup. Mais tu n'aurais pas dû… et si Viskivis découvre que ce n'est pas mon écriture?

— Pas de danger, j'y ai pensé. Premièrement, elle ne connaît pas ton écriture ; deuxièmement, j'ai essayé d'écrire comme toi… sans trop m'appliquer, de façon relâchée. Enfin, tu sais comment les gars écrivent, ils écrivent toujours comme s'ils n'en avaient pas le goût.

— C'est vraiment très gentil, Caroline ; je n'en reviens tout simplement pas!

— Pourquoi tu ne m'as pas téléphoné ? demande Caroline.

— Je n'ai pas eu du tout la tête à ça, depuis mon départ précipité de la poly. Et puis, je me suis fait piquer mon cell.

— J'étais inquiète, tu sais.

— Il n'y avait vraiment pas de quoi.

«Au lieu de rester là sans bouger, il pourrait m'embrasser. Me caresser un peu, me dire des mots gentils. Les gars ont les sentiments pris dans la même bottine parfois. »

Caroline le regarde encore. Il est là, tout près, mais c'est comme un mirage. Gabriel est froid comme une banquise. On dirait qu'il n'est pas là. «Il pourrait me prendre dans ses bras, m'embrasser, on est seuls et j'en meurs d'envie. Ça ne se voit pas ou ça se voit tant que ça ? Merde! Gabriel, grouille, dégèle, fais quelque chose!»

— Caroline…

— Oui, Gabriel.

— Je sais que tu m'aimes un peu…

— Un peu? Tu exagères.

— Excuse-moi…

— Mais non, je veux dire que tu exagères dans le sens que je t'aime plus que tu penses et encore plus qu'aucune fille ne t'a aimé jusqu'ici. C'est plus fort que moi. Je ne me comprends pas moi-même. Quand je te vois, c'est bien simple, je perds les pédales.

Gabriel reste muet devant la portée de cette confidence inattendue. Il ne voit jamais rien, décidément, il ne verra jamais rien. Il ne saura jamais sonder à la perfection le cœur des filles.

— Je savais que…

— Il y a beaucoup de filles à l'école qui sont pâmées sur toi et tu ne vois rien.

— C'est vrai, je ne vois rien, ce n'est pas ma faute.

— Mélanie, Catherine, Marie-Hélène, Sung, Louisa, Yoko, même Cathou, ma grande amie. Je pourrais t'en nommer des dizaines.

— Oui, mais ça servirait à quoi?

— À rien, je présume. Mais on sort quand même ensemble depuis un mois, non? C'est un beau début.

— Oui, si on veut; mais sortir, c'est un bien grand mot, lâche Gabriel sur un ton détaché.

Caroline se désespère, se désole, mais finalement, se décide. Elle déboutonne lentement les trois premiers boutons de son chemisier et murmure:

— Embrasse-moi, Gabriel. Fais-moi voir des étoiles. Embrasse-moi comme tu le fais si bien.

Gabriel la regarde, stupéfait. C'est la première fois qu'une fille lui fait des avances comme ça. Il approche sa bouche des lèvres de Caroline. Il sent son souffle délicieux sur sa bouche. Il l'embrasse d'abord lentement, tendrement, pour ne pas la froisser, puis il se laisse aller au bien-être de ce long baiser qui le régénère, le transporte et l'enflamme.

Gabriel retire ses lèvres. Caroline reprend contact avec la réalité. Elle a encore les yeux mi-clos.

— Tu sais, Caroline, je ne te déteste pas du tout… mais…

Caroline prend la main de Gabriel et la pose sur sa poitrine. Gabriel sent son cœur battre à toute allure. Sa peau est douce et déjà un peu bronzée, et l'été n'est même pas encore arrivé pour de bon. Gabriel ne bronche pas. Il n'ose pas. C'est comme s'il avait arrêté de respirer.

Caroline le regarde toujours. Les yeux presque suppliants.

— Caroline, je ne pense pas que ce soit le bon moment et l'endroit, enfin, ça me gêne beaucoup et… et… je ne pense pas que…

— Serais-tu devenu pédé, Gabriel Fortin ?

— Voyons donc, répond Gabriel en riant. Tu n'es pas sérieuse, ça n'a rien à voir !

— Peut-être, mais ça expliquerait au moins ta froideur.

— Tu es une chic fille, Caroline, mais il faut plus que ça. Ça ne clique pas parfaitement entre nous. Il manque le fameux déclic. Une certaine magie. Je ne sais pas. Je ne voudrais pas te vexer, te fâcher ou quoi que ce soit, mais… Je pense que tu m'aimes plus que je t'aime et l'amour dans l'iné-galité, ça ne peut pas marcher fort très longtemps,

93

tu comprends? Moi, j'ai seulement le goût d'être honnête avec toi. Je ne veux pas te faire marcher, te faire de la peine pour rien. Sortir avec toi pour profiter de ton corps, de ton amour démesuré. Non, je n'ai pas le goût de ça. Je sais bien qu'il y a des tas de gars qui agiraient autrement, mais c'est leur problème. Moi, quand j'aime vraiment, j'aime à fond, je ne joue pas de jeu.

— Moi non plus, Gabriel, je ne joue pas de jeu. Je t'aime, je t'aime, ah! si seulement il y avait un appareil pour mesurer l'amour que j'ai pour toi, non seulement tu serais surpris, mais peut-être que tu mettrais tes gants blancs et que tu nous donnerais une chance. En attendant, Gabriel, je suis capable d'aimer pour deux. Je suis capable d'attendre que tu m'aimes autant que moi… Tiens, je suis même capable d'essayer de t'aimer un peu moins pour que cette fichue balance de l'amour dont tu parles soit en équilibre. Un jour, ce sera possible, tu verras, mais donne-moi une chance…

— C'est important que nous soyons amis, mais je ne suis pas dans mon assiette depuis quelques semaines et…

— O.K., dit sèchement Caroline en reboutonnant son chemisier. Je ne suis pas assez belle pour toi, pas assez riche, je ne suis pas de ta classe sociale, sans doute, je ne suis pas assez intelligente! J'ai très bien compris, Gabriel Fortin. Tu vas sans doute aussi penser que je suis une fille facile. Les gars ne savent pas ce qu'ils veulent: une fille stuck-up et snob ou une fille qui leur fait des avances parce qu'ils sont trop empotés pour le faire. Les gars ne savent jamais ce qu'ils veulent!

— Mais non, Caroline. Tu mélanges tout. Ce n'est pas toi qui es en cause, c'est moi. C'est moi qui ne sais pas ce que je veux; je me sens mal dans ma peau. Je voudrais être ailleurs, n'importe où, mais pas ici; au Groenland, en Australie…

— Moi, Gabriel, je te suivrais jusqu'au bout du monde si tu me le demandais. Demain matin. Tout de suite!

— J'ai le goût de fuir et en même temps, je veux me sentir utile. Que ma vie serve à quelque chose…

— L'amour, aimer quelqu'un, ce n'est pas utile, ça? C'est futile, ça, peut-être? Ce n'est pas nécessaire?

— Ce n'est pas ça, Caroline. Ce n'est pas le moment, est-ce que tu peux comprendre ça? Je file un mauvais coton ces temps-ci et je suis mal à l'aise avec toi, avec le monde entier. Il faut que je me retrouve avant d'aimer quelqu'un, tu ne penses pas?

— Peut-être, mais vu le temps que ça va te prendre, j'ai le temps d'avoir des cheveux blancs. Et moi, j'aimerais bien t'aimer dans cette vie-ci, tu comprends? Nous ne sommes vraiment pas sur la même longueur d'onde. En tout cas, tu es très poli. Tu as trouvé de bien belles raisons et de beaux prétextes.

— On peut quand même rester amis, dit Gabriel.

— Je ne veux pas qu'on soit amis, Gabriel! Avec moi, c'est tout ou rien. Je veux qu'on soit des amoureux, est-ce que c'est clair? Tu ne comprends rien à rien. Continue de tripper sur ton petit nombril… De toute façon, je dois y aller, je suis déjà en retard pour la poly. Ma mère m'a signé un billet pour ce matin, mais je dois y aller. Salut, Gabriel Fortin-Dumais!

Gabriel déteste lorsqu'elle l'appelle «Gabriel Fortin-Dumais». Dumais, c'est le nom qu'il a abandonné officiellement au début de l'année. C'est le nom de son père. Celui dont il ne veut plus rien savoir.

— Caroline! CAROLINE!

Rien à faire, elle ne veut plus rien entendre.

Elle est déjà partie.

Elle n'entend plus rien.

Et Gabriel se retrouve seul comme il a toujours voulu l'être, mais pas de cette façon-là. Il veut une rupture avec le monde, mais une belle rupture, sans colère, sans agressivité. Une coupure tout en douceur, est-ce possible? Est-ce trop demander?

C

Caroline quitte l'appartement en furie. Elle rage et marche d'un pas décidé vers la poly en balbutiant des mots dont elle seule peut comprendre la portée.

— Maudit Fortin! Les gars sont tous pareils. Pour une fois que j'étais tombée amoureuse par-dessus la tête d'un gars qui me plaît à tous les points de vue, il a fallu que je tombe sur un gars qui m'aime en ami, pas plus. Maudite vie à marde! Maudit que c'est compliqué, l'amour! Les autres fois, c'était toujours les gars qui m'aimaient le plus, qui couraient après moi. Il faut croire que c'est maintenant l'inverse et que je n'y peux rien, strictement rien. Maudite vie que t'es mal faite! Il y a peut-être cinq ou six gars dans la classe qui soupirent en me voyant, mais ce n'est pas ceux-là qui m'intéressent.

Caroline pleure maintenant toutes les larmes de son corps. Enfin, c'est ce qu'elle croit. Mais il lui en restera encore assez pour toutes les autres peines d'amour qu'elle aura dans sa vie. Le corps a assez de larmes pour toutes les déceptions, pour toutes les peines du monde, pour toute une vie.

C

Une heure plus tard, Caroline entre en classe. Elle sourit, radieuse comme le printemps. Elle a repris son sourire des jours heureux, celui que les gars adorent. Elle a le cœur en compote, cependant, rien n'y paraît; c'est ça, sa force.

Mais Caroline bout d'impatience. Son cœur veut exploser, mais pas en pleine classe; ça peut attendre la fin des cours, avec Cathou, sa grande amie, celle qui comprend tout, même lorsqu'on ne dit rien. Celle qui comprend les silences du cœur.

Malgré tout, malgré sa peine atroce, malgré sa fin du monde bien à elle, Caroline, comme pour attiser les braises de la souffrance, murmure durant tout l'après-midi : « Oui, mais je l'aime. C'est lui que j'aime… C'est LUI ! »

Pendant ce temps, Gabriel se relève et sort de l'immeuble. Son petit voyage est fini. Terminus ! La réalité débarque.

Gabriel se traîne jusqu'au premier téléphone public. La chance lui sourit, car il lui reste quelques pièces de monnaie au fond de sa poche. Il rentre. Il veut rentrer chez lui.

— Allô, oui, fait une voix féminine et chaude.

— Maman, c'est Gabriel… J'arrive.

Puis, il raccroche en essayant surtout de ne pas imaginer l'accueil délirant que lui fera son père. Avec sa mère, jamais de problèmes ! C'est mystérieux et il se demande pourquoi. Est-ce parce que sa mère est une femme et lui un homme ? Allez donc savoir…

11

Comme
un étranger

Gabriel sonne chez lui, même s'il a sa clé au fond de sa poche, même s'il pense que la porte est sans doute déverrouillée. Il sonne comme s'il était un étranger.

Sa mère, qui l'attend depuis un siècle, vient lui ouvrir.

— Oh! mon Dieu! Mais qu'est-ce qui t'est arrivé, mon pauvre Gabriel?

L'adolescent avait presque oublié qu'il a le visage tuméfié et qu'il fait peur à voir. Par contre, il a encore mal partout et ça, il s'en souvient très bien.

— Raconte-moi, mon Gabriel… raconte-moi tout.

Comme lorsqu'il était jeune.

— Non, maman, je n'ai pas le goût. Plus tard, peut-être. Mais là, j'ai juste envie de retrouver mon lit pour me reposer ; je suis lessivé.

Gabriel se dirige vers sa chambre, en silence. Il n'a pas envie de parler, de répondre aux questions qui vont ressembler à la Grande Inquisition.

— Très bien, Gabriel, dit sa mère avec une voix mêlée d'obéissance et de déception.

Et Isabelle le suit comme un chien de poche. Elle le suit comme elle l'a toujours suivi. Gabriel s'étend sur son lit et elle le borde comme un enfant. Comme s'il n'avait jamais grandi. Comme s'il revenait de la patinoire, les mains et les pieds gelés, les joues rouges de froid ; exténué d'avoir perdu 28 à 16.

Les parents sont souvent comme ça, ils refusent de voir grandir leurs enfants. Pour eux, ces derniers auront toujours six ou sept ans et seront toujours sans défense. Gabriel se laisse dorloter, car il sait que ça fait plaisir à sa mère et il ne veut pas lui gâcher cette joie.

Une fois qu'il est couché, Isabelle reste près de lui à le regarder. Les yeux fermés, Gabriel ne la voit pas, mais il la devine. Avec une douceur infinie, elle lui passe la main dans les cheveux. Gabriel se sent bien. Il fait chaud ici, il fait bon, il est dans son lit. Est-ce que le goût de partir le reprendra à son réveil ? Est-ce seulement un sursis de quelques heures ? Pour le moment, Gabriel ne veut plus penser à rien. Et il sombre dans les limbes.

Sa mère reste à ses côtés durant de longues minutes comme elle le faisait lorsque Gabriel était enfant. Elle pouvait le regarder dormir durant des heures.

Le bonheur des mères est fait de bien peu de chose…

C

— Louis, Gabriel est rentré! Je suis enfin rassurée.

— Il était à peu près temps qu'il revienne au bercail, si tu veux mon avis.

— Pas si fort, chuchote Isabelle, tu vas le réveiller.

— Le réveiller! Le réveiller! Et puis après? Il est plus de 19 heures; si tu penses que je vais me gêner, tu te trompes. Monsieur part en cavale, sans dire où il va, il revient et il voudrait qu'on respecte son sommeil alors qu'il nous a fait chier en donnant des nouvelles au compte-gouttes à sa mère, bien sûr, mais pas à son père, qui ne compte pour rien ici, sinon pour le fric. J'en ai assez, Isabelle, assez de son attitude méprisante! Il va falloir qu'il change. Il a 16 ans et il est temps qu'il comprenne que le monde entier ne peut pas être à ses pieds toujours, tout le temps.

— Si tu le voyais, tu ne parlerais pas sur ce ton.

— Qu'est-ce qu'il a encore?

— Je ne sais pas, il n'a rien voulu me dire. Il s'est battu ou il s'est fait battre, je ne sais pas. En tout cas, il a un œil au beurre noir, le visage meurtri, et à le voir marcher, on devine qu'il a mal partout.

— Il n'est pas mort, ça va lui passer.

— Ciel! que tu es bête, Louis. Qu'est-ce que tu as? On dirait que tu as mangé de la vache enragée. C'est le syndicat?

— Oui, c'est le syndicat, entre autres. Il déclenche une grève illimitée à minuit. Je dois d'ailleurs rencontrer le conseil d'administration dans moins d'une heure afin de trouver les moyens pour que cette grève soit la plus courte possible. Parce qu'une grève, malgré ce qu'on en pense, ce n'est bon pour personne, ni pour le personnel ni pour les propriétaires. Alors on va essayer de trouver un ultime compromis. Je garde espoir.

— Si c'est ça qui te tourmente le plus, ce n'est pas la peine de crier après Gabriel.

— Je ne mêle pas du tout les choses; Gabriel, c'est Gabriel et les affaires sont les affaires. En tout cas, j'aimerais bien lui régler ses affaires, à ce petit morveux!

Justement, le petit morveux en question apparaît dans la cuisine.

Le premier mouvement de surprise passé, son père lui dit d'un ton qu'il voudrait calme, mais sans succès:

— Où es-tu encore allé te fourrer pour revenir avec une gueule comme ça? Ne compte pas sur moi pour m'apitoyer sur ton sort, compte plutôt sur ta mère. Si tu as mangé une volée, c'est parce que tu l'as méritée. Je ne veux surtout pas connaître les détails. Et si tu claques une dépression, comme le dit si bien ta mère, fine psychologue entre toutes, arrange-toi pour que ça ne paraisse pas lors de tes examens du Ministère, parce que ça va aller mal, très mal pour toi. C'est moi qui te le dis. Si tu crois que la vie est dure avec toi, attends de voir ce que l'avenir te réserve avant de brailler.

Gabriel se réfugie dans le silence, la meilleure armure contre les insolences et l'agressivité paternelles.

Sans reprendre son souffle, Louis ajoute :

— Je ne sais pas ce qui se passe dans ta caboche, Gabriel, mais je pense que je ne veux pas le savoir. Arrange-toi avec tes problèmes. Parce que tes problèmes, c'est toi qui te les crées, ce sont des problèmes artificiels, alors c'est toi, et toi seul, qui peux les régler.

— Louis, tu vas trop loin ! Arrête, je t'en supplie. Arrête de le démolir comme ça. Il n'a que 16 ans et tu as plus que trois fois son âge. Contrôle-toi. C'est à toi de te calmer.

— Isabelle, laisse-moi régler ça à ma manière. Et je n'ai pas le goût de me calmer du tout. Ton fils nous méprise. Il méprise l'argent qui le nourrit et qui lui procure tout ce qu'il a, mais il essaie d'en profiter et d'en jouir au max. Il joue sur les deux tableaux à la fois : le mépris et le confort. Il veut changer le monde, le révolutionner ; il va s'apercevoir qu'il y en a d'autres qui ont essayé avant lui et qui ont frappé un mur, un méchant mur. Ton fils se pense plus fin que tout le monde ici, c'est clair comme de l'eau de roche. On n'a qu'à le voir aller, qu'à le regarder ; il n'est pas bien dans l'abondance, il rêve d'amour et d'eau fraîche, de pauvreté comme si c'était la plus grande vertu sur la Terre. Ton enfant se croit bohème, laisse-le aller, il verra bien par lui-même.

— Louis, tu parles comme si ce n'était pas ton fils. Tu dis « ton fils », mais c'est aussi le tien. Tu sembles l'oublier.

— Quand « mon fils », comme tu dis, fait des conneries, je trouve que ce n'est pas tellement mon fils. D'ailleurs, un vrai fils parle à son père, le regarde de temps en temps, autrement que comme un portefeuille. Je ne m'appelle pas Louis, je m'appelle « Hé p'pa, j'aurais besoin de vingt piasses ! » J'en ai ras le bol de ce fils-là, d'un fils comme ça, je n'en ai pas besoin. Il rentre à l'heure qu'il veut et, bien sûr, il ne faut surtout pas poser de questions : c'est sa vie privée, à Monsieur ! Il s'enferme dans sa chambre, il écoute de la musique – du criage de fous serait plus exact – toute la fin de semaine, il parle des heures au téléphone, mais il ne daigne même pas nous adresser la parole, jamais le moindre merci. Il se drogue peut-être ? On le saura dans quelques années. Il laisse traîner son linge partout. Il prend sa mère pour une esclave et moi, pour son chauffeur personnel. Bref, il est très mal élevé ! Les psychologues, toujours plus fins que les autres, nous diront que c'est de notre faute, que c'est nous qui ne sommes pas assez fermes, pas assez autoritaires avec les enfants, que nous n'avons pas le tour avec les ados. Mais il faut une réponse à l'autre bout, au moins un semblant de bonne volonté, de respect, d'acceptation des règles, des normes, pour que les choses changent et évoluent dans la bonne direction. Je veux bien croire à la crise d'adolescence, au fossé des générations, mais il y a une maudite limite, bordel de merde! «Laissez-nous la place, tassez-vous, les vieux, qu'ils disent, c'est notre vie, on arrive, la génération XBox arrive, ôtez-vous d'là!» Je voudrais bien vous laisser la place, mais j'ai peur. Vous laisser la place pour faire quoi? Pour tout bousiller? Vous avez encore des croûtes à manger, petits merdeux! Il faut un minimum de compréhension mutuelle. Essaie donc d'être le fils que tu aimerais avoir, Gabriel. Essaie et médite là-dessus... Être père, ce n'est pas plus facile que d'être adolescent de nos jours.

Gabriel en a assez entendu.

Il comprend bien des choses maintenant. Il comprend surtout que l'homme qui est devant lui ne l'a jamais aimé. Que son père ne l'aimera sans doute jamais ou du moins jamais assez de la bonne manière, qu'il a toujours été de trop dans sa vie: qu'il ait été bébé, enfant ou adolescent. Son père n'a jamais voulu de lui. Il n'est qu'une erreur de parcours. L'amour et les enfants, ce sont deux choses différentes, mais la plupart des gens ne font pas cette distinction. Bien sûr, il y a un peu de vrai dans tout ce que son père vient de dire, mais il charrie un peu, le vieux. S'il y avait un gramme d'amour entre eux, tout ça ne serait pas arrivé. Mais Louis, à part sa petite personne et ses affaires, ne voit rien...

Gabriel n'a pas dit un mot. Il s'en sent incapable. Ses larmes sont silencieuses, mais autrement plus éloquentes que toutes les bêtises du monde. Gabriel pleure. Les mots font parfois plus mal que les gifles. Il aimerait être ailleurs, dans un autre temps, dans un autre espace. Il aimerait avoir un autre père… ou plus de père du tout. Ce serait radical, mais plus simple. Ce serait clair au moins.

Isabelle tente en vain de s'interposer, mais le ton monte comme la marée. Impossible de l'endiguer. Elle sent bien l'impuissance de Gabriel devant la furie déchaînée de son père, et elle voit bien aussi sa propre impuissance. Elle aime son fils. Elle aime son mari. Malheureusement, elle aime deux hommes qui se battent toujours comme deux taureaux en rut, qui s'obstinent tout le temps, qui ne peuvent pas se parler de façon civilisée, qui ne peuvent plus se sentir. Elle aime les deux hommes de sa vie et elle sait qu'un des deux finira par lui échapper. Lequel? Le combat de coqs est inégal.

Au lieu de s'arrêter, Louis continue de plus belle.

— Tu n'as pas vu l'état dans lequel ta petite fugue a mis ta mère? Tu ne l'as pas vue? Elle se mourait d'inquiétude. Elle n'était que l'ombre d'elle-même. Et toi, insouciant, tu te baladais dans la nature en jouant les Robinson Crusoé. Gabriel, tu es inconscient, ma parole!

Gabriel renifle et prend une bonne respiration avant de dire:

— Il y en a un de trop ici, c'est bien évident. La prochaine fugue ne durera pas trois jours. Je vais partir pour de bon. Et rien ni personne ne m'en empêchera. Si tu penses que tes centaines de milliers de dollars à la con vont y changer quelque chose, tu te trompes et tu peux te les mettre là où je pense.

— Gabriel! lance sa mère.

Mais son fils poursuit comme s'il n'avait pas entendu. Entre deux sanglots, il ajoute:

— Je partirai quand je serai prêt et quand je l'aurai décidé. Mon grand-père est parti de chez lui à 13 ans. Tu m'as assez rabâché les oreilles avec cette histoire-là que je pense que je suis capable d'en faire autant. «La vie est dure, la vie est dure, mon petit Gabriel, c'est la jungle!» Change de disque. L'harmonie, le travail en équipe, l'autre à côté de soi, la générosité, la vraie, tout ça existe. L'harmonie existe. Toi, c'est les affaires, toujours les affaires, il n'y a que tes maudites pharmacies et tes maudits immeubles qui t'intéressent dans la vie. Tu as un portefeuille et une calculatrice à la place du cœur. Tu es chanceux qu'une femme comme ma mère t'aime, sinon... Je n'en connais pas beaucoup qui pourraient t'endurer et supporter ton égocentrisme, ton nombril gros comme l'Univers.

C'est le père qui écoute son fils à présent. D'une oreille distraite, bien sûr. Avec un sourire narquois au bord des lèvres. Avec un air supérieur, il le laisse parler tout en savourant, à petites gorgées, le cognac qu'il vient de se verser.

— Tu as tout, Louis Dumais, tu as tout: l'argent, l'amour d'une femme, le pouvoir, une famille même, un semblant de famille. Par contre, il te manque des choses fondamentales : la générosité, l'amour du prochain. Arrête un peu de t'aimer toi et tout ce que tu représentes, et sans doute que ça ira mieux dans cette belle et chic maison du haut Faubourg.

— T'as fini ton petit sermon ?

— Oui, oui, j'ai fini mon petit sermon, comme tu dis, et je n'ai pas l'intention de te reparler avant de partir pour de bon…

— Des menaces ! Des menaces d'adolescent ! Je n'y crois pas. Tu peux toujours parler, ce n'est que du vent.

— Louis, cesse de le provoquer, supplie Isabelle, au bord des larmes.

Puis, d'un geste nerveux, elle enfile une veste et ajoute, le cœur au bord des lèvres :

— J'en ai assez. Je vais prendre l'air. J'étouffe ici. Je reviendrai lorsque cette maison aura retrouvé la paix.

Isabelle prend ses clés sur le comptoir et fiche le camp sans claquer la porte.

Elle n'a jamais pu supporter la violence, même verbale. C'est trop pour elle. Elle préfère fuir, même si ce geste pourrait paraître lâche ; elle préfère cette petite lâcheté à cette chicane, à cette guerre qui prend des allures démesurées.

Mais, au fait, qui a commencé le premier ?

La famille et la guerre, c'est pareil. On veut la paix dans le monde et on ne peut même pas la faire dans sa propre cuisine. Pour aimer le monde entier, il faut commencer par le voisin. Mais c'est souvent ainsi : une étincelle suffit à mettre le feu aux poudres. Incontrôlable. Et, plusieurs jours plus tard, on ne se souvient plus. Qui a commencé ? C'était à cause de quoi déjà ? Et pendant que ces questions restent sans réponse, la vanité et l'orgueil prennent le dessus et c'est la dégénérescence des sentiments, la dérive des émotions. Qui a commencé le premier ? Qui va y mettre fin le premier ? Voilà le nerf de la guerre.

C

Seuls dans l'immense salon, les deux hommes se regardent comme des fauves. Gabriel s'emmure dans son silence. Il n'a pas le goût de parler à cet homme qui ne l'aime pas et qu'il commence à détester profondément.

Il aurait aimé avoir un autre père... et peut-être que son père aurait aimé avoir un autre fils que lui, mais ça, c'est une autre histoire. Il y a des choses dans la vie qu'on ne peut jamais recommencer ; il faut composer avec. La lumière est verte. Il faut avancer. Ou ne pas reculer. Avancer dans la noirceur, s'il le faut.

Gabriel déteste cet homme plus que tout au monde. Jamais il ne détestera quelqu'un aussi fort... mais, curieusement, si cet homme à ce moment précis, à cette seconde précise se retournait et le prenait dans ses bras... Gabriel se laisserait faire... comme un jeune enfant, comme un animal blessé et abandonné.

Il se laisserait fondre et envelopper dans cette paix, dans ces gros bras velus qui l'ont bercé quelques fois lorsqu'il était plus jeune.

Mais ce moment magique ne viendra pas.

Ne sera pas.

Gabriel ne regarde pas son père, ne lui dit pas bonsoir et se dirige vers sa chambre.

Le combat est fini pour l'instant.

Le combat est fini, faute de spectateurs.

C'est maintenant le triomphe du silence.

C

Personne ne sait encore s'il y aura une revanche… et c'est loin d'être échec et mat! Le roi est encore debout et il se verse un deuxième cognac en attendant le retour de la reine. Pendant ce temps-là, le pion dort dans sa tour d'ivoire, mais ça, le roi s'en fout… royalement: il a toujours fait cavalier seul.

12
La manif

Deux jours plus tard, 7 heures 35

— Est-ce que tu vas à l'école ce matin, Gabriel?

— Oui… je n'ai pas le choix.

Isabelle, dans la salle de bains, se maquille. Gabriel est dans la cuisine. Son père a déjà quitté la maison, à l'aube, c'est sûr, pour éteindre un autre feu. Le syndicat ne déclenchera pas la grève, mais quelques détails restent à régler. Indispensable, c'est le seul mot pour décrire son père; il est INDISPENSABLE! En tout cas, peut-être pour ses employés et pour sa femme, mais pas pour lui. Ce matin, ça fait son affaire qu'il ne soit pas là. De toute façon, là ou pas, ils ne se parlent plus et ils se voient à peine… seulement lorsque leurs regards se croisent par hasard. Maudit hasard qui fait parfois si mal les choses!

Isabelle doit vivre au milieu de cette guerre froide, elle n'a guère le choix.

— J'ai des maths en rentrant… rien pour sauter de joie, c'est avec le père Villeneuve.

— Au fait, j'ai téléphoné à madame Visvikis et nous nous sommes expliquées au téléphone. Je n'aurai pas besoin de t'accompagner. Ça m'arrange, figure-toi, car j'ai un rendez-vous important ce matin.

Une vraie chance. Gabriel ne se serait pas vu rentrer à la poly avec sa mère. L'humiliation totale. Il n'est plus à la maternelle, après tout.

— As-tu ta copie avec toi?

— Oui.

— Ça devrait aller comme sur des roulettes, alors…

— Ouais, comme sur des roulettes, répond Gabriel en pensant à la manif de cet après-midi et en repensant que c'est Caroline qui a tout copié pour lui.

— Grosse journée en perspective, Gaby?

— Non, pas vraiment; la routine, quoi!

— Je te laisse en passant?

— Non, merci, je vais prendre le bus avec Félix, ça fait une éternité que je ne l'ai pas vu.

— Bon eh bien, bonne journée, il faut que je file, dit Isabelle en l'embrassant sur le front tandis qu'il engouffre son dernier morceau de croissant.

Gabriel déteste que sa mère l'embrasse encore comme un enfant et il se demande quand elle va arrêter ces simagrées qui lui tombent sur les nerfs. O.K. elle l'aime, O.K. elle veut prendre soin de lui.

Elle veut l'aimer pour deux, d'accord, mais elle n'est pas obligée de l'embrasser comme ça à tout bout de champ. C'est bien beau l'amour maternel, mais de là à jouer aux sangsues toute sa vie…

— Bye!

— C'est ça, à ce soir… et n'oublie pas de verrouiller la porte en sortant.

Préparer la manif a presque été un jeu d'enfant comparé à une guerre de bouffe à laquelle tout le monde ne veut pas nécessairement participer. Le grand Gravel et la bande du conseil étudiant sont fiers d'eux. Toute la poly leur a emboîté le pas. Il est vrai qu'un petit congé par un bel après-midi de printemps, ça se refuse mal.

Ils sont plusieurs centaines. Presque toute la poly est là, rassemblée sur le gazon en face de l'entrée principale. Le conseil étudiant a bien orchestré la manifestation : des banderoles et des pancartes affichent la position des étudiants :

Oui aux condoms, non aux MTS!
L'amour, ça se protège!
On n'est plus en 1900, commissaires bornés!
L'amour, pour le meilleur et non le pire.
Adultes, réveillez-vous! On n'est plus des enfants.
Louis XV s'est marié à 16 ans!
L'amour n'a pas peur du latex!
Le condom, ça nous fera pas mourir!

Il fait si beau, en ce début d'après-midi, qu'on penserait que le soleil est complice des étudiants. La sortie s'effectue presque dans le calme, tout de suite après le dîner. La cloche annonçant le début des cours a beau retentir, les élèves restent sourds à cet appel. Les examens approchent, mais ils n'ont pas l'air de s'en soucier.

Gabriel est là avec sa gang : Carbo, Étienne, Bobbie, Félix et Cathou. Gabriel cherche Caroline des yeux, mais il ne la voit pas. Avec les autres, il crie les slogans d'usage.

La police est déjà sur les lieux. Aux aguets, elle surveille au cas où quelques têtes brûlées songeraient à faire du grabuge.

— C'est bien Houde, ça. Il a toujours peur de tout ; il téléphone à la police dès qu'on lève le petit doigt. Maudit qu'il est chieux !

— Chieux et chiant, oui !

— Pour moi, il pense qu'on va revirer la poly à l'envers.

Soudain, accompagné de quelques profs et de la directrice adjointe, monsieur Houde sort de la poly pour adresser quelques mots aux manifestants. Il s'empare d'un porte-voix.

— La direction de l'école vous ordonne de rentrer à la poly et d'assister normalement à vos cours.

Les huées ne se font pas attendre.

Monsieur Houde poursuit quand même son discours, tout en sachant qu'il n'est pas très écouté. Il fait son devoir comme un mauvais élève, sans y croire.

— La direction est consciente, poursuit-il sur le même ton, de la teneur de vos revendications. Un comité spécial regroupant des profs et des parents a été formé pour étudier de nouveau la question…

— ET LES ÉTUDIANTS ! interrompt le grand Gravel qui, lui aussi, a un porte-voix. Qu'en faites-vous ?

Sans se faire prier, les élèves scandent haut et bien fort :

— LES ÉTUDIANTS AU COMITÉ ! LES ÉTUDIANTS AU COMITÉ ! LES ÉTUDIANTS AU COMITÉ !

Monsieur Houde a toute la difficulté du monde à faire cesser le chahut. Il regarde à gauche et à droite, cherchant en vain un appui quelconque parmi son personnel. Soudain, madame Visvikis s'approche et lui arrache presque le porte-voix des mains. Elle ajuste le volume de l'appareil et l'amène à sa bouche.

Plusieurs élèves, surtout ceux qui sont aux premiers rangs, sont pétrifiés. Tous connaissent et redoutent la Visvikis à la poigne de fer.

Gravel est dans ses petits souliers. Le conseil étudiant est sur la défensive. La répression pointe à l'horizon. Certains parient intérieurement qu'elle va appeler du renfort. L'armée, un coup parti.

Visvikis se racle la gorge une dernière fois. Le bruit s'habille de silence.

— Je sais bien, commence-t-elle par dire, que nous ne sommes plus en 1900, comme l'indique si bien d'ailleurs l'une de vos pancartes…

Le sourire de Gravel se décrispe.

— Mais ce n'est pas une raison pour faire l'école buissonnière, poursuit-elle. Il faut être plus sérieux que ça et suivre la voie administrative, les règles du jeu. C'est peut-être long, mais c'est le chemin qu'il faut emprunter lorsqu'on veut respecter tout le monde et changer l'ordre des choses de façon démocratique.

Quelques élèves commencent à chahuter. Elle les apaise aussitôt en levant la main.

— Pour être franche, il faut prendre position, parce que dans la vie, même si on est directeur, ajoute-t-elle en lançant un regard de pierre à monsieur Houde, ou adjointe à la direction, comme moi, ou prof, le silence n'est pas une bonne option. Et puisqu'il est question des distributrices de condoms à l'école, je dois vous avouer que je suis…

Elle étire intentionnellement la dernière syllabe.

— Je suis pour.

Les élèves crient leur joie face à cet appui aussi tranchant qu'inattendu.

— Je ne suis d'ailleurs pas la seule à penser que ce serait une excellente chose. Les commissaires ont cru bon de voter contre cette résolution, mais comptez sur moi pour la présenter de nouveau avec l'appui du conseil d'établissement et de votre conseil étudiant. Ce n'est pas parce que vous avez perdu une bataille que vous avez perdu la guerre. Sans relâche, il faut taper sur le même clou… ce n'est pas tout le monde qui comprend du premier coup.

Gabriel, Carbo et toute la bande sont tout à fait décontenancés devant l'ouverture d'esprit de la directrice adjointe. Qui aurait pu penser ça d'elle?

Gabriel regarde Félix et Bobbie, qui profitent de la manif pour s'embrasser à qui mieux mieux. Pour eux, cette manif devient une manifestation d'amour! «J'espère qu'ils mettent un condom et pas seulement de temps en temps», pense Gabriel.

— Je suis d'accord pour les distributrices de condoms dans les écoles, même si je sais très bien que plusieurs sont assez grands pour les acheter à la pharmacie... mais il y en d'autres, les timorés, ceux qui n'osent pas, ceux qui rougissent et qui sont morts de honte en arrivant à la caisse, ceux qui ont peur... alors, les distributrices dans les écoles sont faites pour eux.

Un tonnerre d'applaudissements et de sifflements se fait entendre. Madame Visvikis est en train de gagner, sans l'avoir cherché, un concours de popularité. À compter de maintenant, on ne la verra plus du même œil.

— J'ai trop vu, continue-t-elle...

Pendant ce temps, Houde et deux ou trois profs la regardent sans trop comprendre. Pourquoi fait-elle ça? Pourquoi veut-elle aller contre les commissaires, contre la Commission scolaire, en somme? À quoi joue-t-elle, elle dont le passe-temps favori est d'emmerder les élèves?

Gabriel vient de repérer Caroline. Elle est entourée de trois ou quatre gars qui la dévorent des yeux. Gabriel esquisse un salut de la main, mais Caroline ne répond pas et baisse les yeux.

— … chaque année, m'entendez-vous, je vois trop de jeunes filles de 4e secondaire, de 5e secondaire, venir pleurer dans mon bureau. Oui, sept ou huit filles par année viennent pleurer dans mon bureau avec l'infirmière ou la travailleuse sociale de La Passerelle. Elles pleurent parce qu'elles sont enceintes, mais surtout, parce qu'elles sont désemparées et qu'elles ne savent pas quoi faire. Parfois, leur petit ami vient avec elle… et lui non plus ne sait pas quoi faire.

La foule est consternée par ces révélations. Deux journalistes sont sur les lieux et notent tout. Monsieur Houde a le goût de se cacher. « Elle n'a pas le droit de révéler ça. C'est secret, c'est privé ! » marmonne-t-il avec colère.

— … quant aux gars – car ces jeunes filles ne sont pas tombées enceintes toutes seules –, tâchez d'évoluer un peu. Si vous êtes en âge de faire l'amour, vous êtes assez vieux pour prendre vos responsabilités et elles sont à la portée de la main dans une petite boîte en carton ! Et, à ce que je sache, cette petite boîte ne prend pas tellement de place dans un sac d'école. Je suis pour les distributrices de condoms, parce qu'à 14, 15 ou 16 ans, ce n'est pas le moment d'être enceinte, d'être mère ou de devenir père ; c'est le temps d'étudier et de préparer son avenir. Des distributrices de condoms, ça ne signifie pas l'amour libre ou faire l'amour à gauche et à droite avec le ou la première venue. Non. C'est le début du respect de l'autre, du respect de la vie.

Encore une fois, un déluge d'applaudissements se fait entendre.

— Voilà, j'ai dit ce que j'avais à vous dire. Je suis de votre côté, une fois n'est pas coutume, n'est-ce pas? ajoute-t-elle en ricanant. Et je vais fournir tous les efforts et amener tous les arguments nécessaires, tirer toutes les ficelles administratives et user de tout mon pouvoir pour que ces distributrices soient installées sous peu… dès septembre.

Joignant le geste à la parole, madame Visvikis descend vers les élèves et saisit la première pancarte qui se présente devant elle.

Puis, c'est au tour de madame Keegan de lui emboîter le pas. Elle n'est pas seule: tous les profs d'éduc et une trentaine d'autres suivent madame Visvikis.

Pour le grand Gravel, pour le conseil étudiant et pour tous les élèves de La Passerelle, c'est un grand jour, un jour de victoire.

Double-V est heureuse d'avoir pris position pour les jeunes. Heureuse aussi de voir que son action est appuyée par la très grande majorité des profs. Elle n'en attendait pas tant.

En colère, monsieur Houde s'enfuit vers son bureau pour ordonner le retour des autobus et, par le fait même, l'évacuation des élèves jusqu'à demain matin.

Madame Visvikis se retourne et aperçoit Gabriel Fortin.

— Salut, lui dit-elle la première, en affichant un large sourire. J'ai quelque chose à te remettre.

Elle sort de la poche de son tailleur deux feuilles pliées en quatre. Elle les tend à Gabriel, épiant sa surprise.

Gabriel les déplie et esquisse une mine réjouie en les parcourant d'un rapide coup d'œil.

D'une écriture fort appliquée, il est écrit au moins cent fois : *Je ne giflerai plus un élève. Je ne giflerai plus un élève.*

Gabriel la regarde droit dans les yeux, déchire les feuilles et il lance les morceaux dans les airs. On dirait une pluie de confettis.

La directrice adjointe le regarde, tout étonnée.

— Comme ça, ce sera notre secret à nous, ajoute-t-il, l'air heureux.

— Je suis contente de ta réaction. C'est un beau geste et sache que je l'apprécie, mon beau Gabriel.

La manifestation tire à sa fin. Plusieurs en ont profité pour prendre congé en douce, mais quelques centaines d'élèves sont restés pour la forme et continuent de crier et de manifester. Les premiers autobus commencent déjà à se garer dans le stationnement.

Soudain, de grands cris percent le murmure monocorde de la foule. Puis, des éclats de verre. On vient de lancer des pierres dans les fenêtres de l'école. Gravel n'y comprend rien. C'est une manifestation pacifique, après tout. Pas de grabuge, pas de bataille, avait-il ordonné hier aux esprits les plus échauffés, les plus dégoûtés par l'attitude de la Commission scolaire.

Instinctivement, Gabriel se retourne comme plusieurs autres pour savoir d'où viennent les pierres. À sa grande stupéfaction, Gabriel reconnaît Simon « Sid » avec d'autres jeunes ; des

120

décrocheurs, c'est certain, car ça fait une mèche qu'il ne les a pas vus à l'école, ceux-là.

Mais les jeunes délinquants n'ont pas l'occasion de lancer beaucoup de pierres en direction de l'école. En effet, deux policiers habillés en civil ont tôt fait de les maîtriser et de les faire monter dans l'une des cinq autos-patrouilles.

« Pauvre Sid ! murmure Gabriel ; il ne sera jamais à la bonne place au bon moment ! »

13
Le Dernier relais

L'année scolaire est terminée depuis un peu plus d'une semaine. La manifestation pour les distributrices de condoms n'est plus qu'un souvenir. ILS étudient la question. ILS vont y penser. ILS donneront une réponse au début de septembre. En attendant, les jeunes patienteront. Et les esprits chauds se calmeront... De toute façon, La Passerelle n'est pas la seule école à ne pas offrir de distributrices de condoms, au Québec.

Pendant que la chaleur sévit, même à l'ombre, Félix et Gabriel discutent dans le sous-sol cossu des Fortin-Dumais.

— As-tu trouvé un emploi pour l'été? demande Félix en croquant les glaçons de son verre de limonade.

— Oui et non, fait Gabriel. J'ai une entrevue demain pour un emploi au Dernier relais.

— Et ça paye bien ?

Gabriel se racle la gorge. Il n'a pas envie de répondre à cette question, mais puisque Félix est son meilleur ami, il se risque.

— Pas tellement, figure-toi… parce que c'est un emploi bénévole.

— Quoi, un emploi bénévole ! s'exclame Félix.

— Calme-toi, y a rien là.

— C'est vrai, reprend Félix en regardant autour de lui. Tu es bien le seul à pouvoir te permettre un emploi bénévole par les temps qui courent ! Moi, j'ai mon cégep, les livres, l'habillement, le transport à payer et ce n'est pas avec la pension alimentaire que mon père verse à ma mère de temps en temps… quand il y pense, ni avec le maigre salaire de ma mère qu'on peut arriver comme du monde. Enfin, je vais demander un prêt et si je suis chanceux, j'aurai peut-être une bourse pour arrondir les fins de session. En tout cas, j'ai fait au moins une bonne vingtaine de demandes d'emploi et je n'ai pas reçu une seule réponse positive. On sait bien, les étudiants du cégep sont passés avant nous et ils ont raflé les bons emplois. Il ne reste plus rien d'intéressant. Pourtant, je suis fin, gentil, bon travaillant, fort, intelligent, je n'ai pas peur de l'ouvrage…

— Alouette ! À part ça, tu n'as pas trop de complexes, mon petit Félix ?

— Disponible aussi, ajoute Félix en souriant, je peux même travailler les fins de semaine.

D'ailleurs un emploi de fin de semaine, ça m'arrangerait beaucoup. Ce n'est pas toujours drôle de travailler et d'étudier en même temps, mais je n'ai pas le choix, moi, poursuit Félix en insistant sur le mot «moi».

— Oh! arrête, dit Gabriel sur un ton de reproche, ce n'est tout de même pas de ma faute si mon père réussit en affaires. Tout ce qu'il touche se transforme en or ou presque. Et ma mère a aussi une chance de bossue. Tiens, pas plus tard que la semaine dernière, elle a réussi à vendre trois cabanes de plus de 400 000 dollars dans un marché en pleine récession. Qu'est-ce que tu veux que j'y fasse? (Gabriel songe qu'il aimerait bien parler des problèmes d'emploi de Félix à son père, mais comme il ne veut rien lui demander…)

— Je sais bien que ce n'est pas de ta faute, mais ça fait quand même suer. D'autant plus que tu me disais hier que tu ne voulais pas aller au cégep tout de suite et que tu préférais attendre l'an prochain avant de choisir ta concentration. Tu fais chier, Fortin, si tu veux mon avis. C'est le monde à l'envers! Je sue pour continuer d'étudier et toi, tu te permets de prendre une pause d'un an, peut-être plus.

— Oui, et puis après…

— Ton père est au courant?

— Non!

— Et ta mère?

— Oui… enfin presque.

— Dans ce cas-là, ça ne devrait pas tarder, ton père le saura bientôt.

— Je ne pense pas qu'elle va lui en parler. Je lui ai dit que c'était mes affaires et que j'avertirais mon père moi-même. Je le sais, il va piquer une sainte colère, mais j'ai bien le droit de réfléchir un peu avant d'entamer des études collégiales. Je ne suis pas comme bien d'autres qui n'hésitent pas à se traîner le fond de culotte de salle de cours en salle de cours juste pour le plaisir de dire qu'ils vont au cégep. Dans le fond, ils ne foutent rien et ils perdent leur temps. Moi, je vais réfléchir dans l'action, la vraie, sur le terrain. Malgré les apparences, je ne perdrai pas mon temps. Je veux devenir travailleur social et je veux voir avant de m'embarquer dans des études pour cinq ans. D'ailleurs, après douze ans d'école, je peux bien prendre ça un peu relax et m'accorder une année sabbatique, non!

— Une année sabbatique? On aura tout entendu! Une année sabbatique avant même d'avoir commencé à travailler, c'est fort en ketchup! S'il fallait que tous les jeunes du secondaire prennent une année sabbatique avant le cégep, ça serait beau à voir!

— Coudonc, Félix, es-tu avec moi ou contre moi?

— Je suis avec toi, mais j'ai quand même le droit de m'exprimer, non?

— Et toi, qu'est-ce que tu ferais à ma place, hein? Qu'est-ce que tu ferais?

— Je ne sais pas… Je me laisserais séduire par la belle Caroline, en tout cas…

126

— Ne change pas le sujet de la conversation. De toute façon, Caroline et moi, c'était fini avant même d'avoir vraiment commencé.

— Dommage, c'est une fille super, à mon avis. En tout cas, c'est tes affaires. L'important, c'est de décrocher un diplôme, de finir les études pour lesquelles on est fait, il me semble. Tu es un gars brillant, il ne faudrait pas que tu gâches tout ça. Au fait, c'est quoi au juste, le Dernier relais?

— C'est une espèce de centre d'hébergement pour les itinérants, les jeunes comme les vieux. Il y a une soixantaine de lits. Le midi et le soir, ils servent une soupe populaire. Des gens travaillent également pour leur réinsertion sociale. On y offre des thérapies individuelles et de groupe. Certains itinérants essaient aussi de régler leurs problèmes d'alcool et de drogue.

— Quelle grandeur d'âme, quelle noblesse! Un riche qui va travailler pour les pauvres.

— Garde tes moqueries pour toi, Félix, c'est sérieux. Enfin, je ne me tournerai pas les pouces tout l'été! Ce qui risque fort de t'arriver…

— Hé! Pas si vite, je n'ai pas lancé la serviette. J'attends justement un appel du Provigo, au coin de chez moi, pour un emploi occasionnel d'emballeur.

— En tout cas, moi, j'ai le goût de venir en aide aux plus démunis. C'est drôle, mais c'est comme ça. Mes parents sont pleins aux as, ils ne pensent qu'à faire du fric. Ils nagent dedans à longueur de journée et moi, c'est tout le contraire.

Je ne pense qu'à la pauvreté. J'aurais aimé, tiens-toi bien, aller en Afrique ou en Inde pour donner un coup de main, un *vrai,* à ceux qui meurent de faim. Là-bas, ça meurt comme des mouches. Un jour, je ne dis pas, peut-être que j'irai avec l'ACDI, un organisme de développement international, ou avec un autre organisme de coopération qui soulage les gens qui en ont vraiment besoin. Pour l'instant, je me suis renseigné, je suis trop jeune : il faut avoir 18 ans. Je me suis dit aussi que la misère et la pauvreté ne sont pas nécessairement à des milliers de kilomètres de chez moi ; qu'elles pouvaient être là tout près, sous mon nez, juste en bas du Faubourg, et que mon aide pourrait commencer là.

— Bon, il approche cinq heures. Je dois filer, moi.

— Et avec Bobbie – non mais, tu parles d'un nom pour une fille –, ça marche fort ?

— Pas tellement ces temps-ci, figure-toi. C'est bizarre, des fois, avant de m'endormir, je pense à elle et je trouve qu'on forme déjà un vieux couple. Il me semble que l'inévitable, l'effroyable routine s'est déjà installée : un peu de cinéma, le resto, je t'appelle vers huit heures, tu me téléphones le lendemain, on parle, on se bécote à qui mieux mieux. Une grosse heure au téléphone presque chaque soir et j'ai la désagréable impression en raccrochant qu'on ne s'est rien dit. Juste des banalités avec pour résultat une oreille toute rouge. Je pense que l'amour entre nous commence à s'effriter de plus en plus et je ne sais pas trop quoi faire pour empêcher ça. On dirait un château de sable sur la plage que la marée s'amuse à démolir petit à petit. Pourtant, au début, tout était rose et on s'était bien juré qu'on serait différents des autres.

Félix fixe le plancher d'un air absent, absorbé par ce spleen de l'amour, puis il continue :

— Ouais, en tout cas, je pense que ça ne marche plus très fort. Je ne sais pas comment expliquer ça. Ce n'est plus comme avant et sais-tu ce qui m'a mis la puce à l'oreille, Gabriel ?

— Non, quoi ?

— Eh bien, j'ai commencé à regarder d'autres filles.

— Jusque-là, mon beau Félix, tu es tout à fait normal. Tu viens de découvrir que tu es hétéro, c'est une belle révélation !

— Arrête de niaiser. Je regarde les filles d'un autre œil. Je vois leurs jambes, leur sourire et souvent, l'envie me prend de les toucher, de les embrasser, de sortir avec elles. Avant, il n'y avait que Bobbie dans mon univers. Je ne voyais qu'elle. Je ne pensais qu'à elle et il n'y avait qu'elle au monde ! Maintenant, cette espèce de nirvana, de bulle rose, s'est crevée ; on dirait que je me suis ouvert les yeux, que je suis retombé sur le plancher des vaches et que j'ai vu que le monde existait encore autour de moi.

— Ouais, disons que tu viens de franchir une autre phase de l'amour, conclut Gabriel. L'état de grâce du début ne peut pas durer éternellement. C'est impossible et ça serait trop beau. L'amour, ça se transforme, ça change, ça évolue. On n'aime pas de la même façon à 16 ans qu'à 50, enfin, j'imagine. C'est toujours l'amour, mais ça prend des aspects différents parce que les raisons ont changé. La vie évolue, l'amour aussi, avec la vie, avec le temps. Si c'était stable, ce serait plate à mort. Peut-être que Bobbie vit aussi ce genre de changements et qu'elle ne te le dit pas ? Vous devriez sans doute vous parler. L'amour confronté au quotidien est toujours plus vulnérable. Et puis, de toute façon, je pense bien qu'on aime plus qu'une fois dans une vie…

— Peut-être, mais pas toujours. On aime bien penser que chaque fois c'est pour la vie. Je regarde mon père aller et je pense comme toi : aimer la même femme ou le même homme toute une vie, c'est tout un contrat. Mais je pense qu'on peut réussir là où nos parents ont échoué. Enfin, moi, je vais tout faire pour ne pas répéter la même gaffe que mon père. Je ferai tout pour aimer ma femme le plus longtemps possible et pour ne pas faire de mal à mes enfants. Si tu savais comme ça donne un coup, Gabriel, tu ne peux pas t'imaginer. Je pense qu'on ne s'en remet jamais tout à fait. Que ce rêve d'amour éternel vire au cauchemar nous marque profondément. Les chansons, les films entretiennent l'idée d'un amour éternel, mais dans la vie, on frappe un mur parce que ça dure plus qu'une heure et demie… Tiens, l'autre jour, j'écoutais à la télévision une entrevue avec Steven Spielberg à qui on demandait ce qui l'avait le plus marqué dans la vie. Je m'attendais à ce qu'il réponde mon premier Oscar, ma rencontre avec tel cinéaste, tel acteur, le succès de mes films, ma fortune. Non, rien de tout ça. Il a répondu que ce qui l'avait le plus marqué, c'était le divorce de ses parents… et le sien. Et il a tout de même plus de 60 ans! Heureusement, toi, tes parents ont l'air de s'aimer encore comme de vrais petits fous.

— Oui, c'est vrai, et le pire, c'est que je ne sais pas vraiment à quoi ça tient. Un coup de chance? Je ne sais pas. La chimie des corps, des âmes… Allez donc savoir. Il y a une espèce de magie entre eux, une magie indéfinissable. Et ce n'est pas l'argent qui arrange tout, crois-moi. L'argent rend le malheur confortable, mais il n'apporte pas nécessairement le bonheur, c'est bien connu. Non, ce n'est pas l'argent, et leur bonheur, leur amour résistent même aux problèmes que je leur cause. On veut toujours ce qu'il y a de mieux pour nos enfants, rien n'est trop beau pour eux, mais en retour les enfants doivent les décevoir souvent sans s'en rendre compte, parce que la vie qu'ils veulent nous tracer ne ressemble parfois en rien à celle que l'on veut vivre. C'est drôle, mais c'est comme ça. Mon travail au Dernier relais, ça va assommer mon père, je le sais. Il va être très déçu, mais je m'en fous; c'est ma vie après tout. Les pharmacies, la succession de son empire, ça ne me passionne pas. Moi, ce qui m'intéresse dans la vie, c'est le monde, les gens, ceux qui souffrent, ceux à qui je peux être utile. Je sais que je n'ai pas beaucoup d'expérience, que je dois vivre avant, avoir le nombril sec; mais je sais, au fond de moi, que je peux apporter beaucoup et que c'est ça que je veux faire:

aider les autres. Cependant, je dois reconnaître que mon père aime encore ma mère passionnément. Je dois te dire qu'il est chanceux d'être tombé sur une femme comme elle, sinon leur couple n'aurait pas fait long feu.

— Pour en revenir à ce qui me préoccupe, tu vois, ces temps-ci, il y a une fille, Mer…

Félix ose à peine terminer sa phrase, mais devant la perspicacité de son ami…

— Mer… comme dans Mercedes 300 SL…

— Tu t'en étais aperçu ?

— Non, mais un prénom qui commence par « Mer », il n'y en a pas des tonnes. C'est aussi une belle fille. Je l'ai déjà remarquée à la café. Pour être franc, disons qu'il est très difficile de ne pas la remarquer, car elle est assez visible.

— Oui, Mercédès… la belle, l'excentrique. Mercédès-la-bizarre. Je perds tous mes moyens devant elle. Avant qu'elle vienne demeurer avec nous, ce n'était pas comme ça. Je ne la voyais même pas. Maintenant, quand elle est là, je bafouille en lui demandant le lait, je la frôle le jour et je deviens tout croche le soir en pensant à elle. J'ai toujours son parfum dans ma tête, je me sens mal, je me sens bien. Je ne sais plus comment agir avec elle ; je ne suis plus tout à fait naturel. Je suis sûr que j'aime encore Bobbie et je veux tellement que notre amour ait un avenir, mais je me sens attiré par Mercédès… comme par un aimant. Ça me trouble. Maintenant, tout est réglé dans ma tête et dans mon corps, car j'ai décidé d'aller rester avec mon père. Ce sera bon pour nous parce qu'on s'est un peu perdus de vue au cours des derniers mois… Bon, eh bien, assez philosophé pour aujourd'hui. Il faut que je file maintenant, je suis déjà en retard. Salut!

— C'est ça, salut! À demain peut-être… Tiens, je te téléphonerai ce soir et on jasera deux heures au téléphone, dit Gabriel en riant.

Gabriel referme la porte en regardant son ami s'éloigner.

«Ah! l'amour, c'est si compliqué et si simple à la fois!»

14

Non mais,
ça va pas la tête!

— **N**on mais, ça va pas la tête! Tu as tout pour réussir. Je te paye tes études, tes livres, je suis même prêt à te payer une automobile pour te faciliter la vie, crie Louis, et Monsieur renonce à tout ça parce qu'il veut prendre une année sabbatique pour réfléchir à sa carrière? La réflexion, la vraie, tu sauras que c'est dans l'action qu'on la trouve.

— C'est justement pour cette raison que je vais aller travailler au Dernier relais, pour savoir si le travail social m'intéresse vraiment. Pour savoir si je suis fait pour ça.

— Louis, calme-toi, vous n'allez pas recommencer!

— Ne t'inquiète pas, maman, on ne se chicanera pas, dit Gabriel. Je monte dans ma chambre, comme ça il n'y aura pas de discussion.

— Comme ça tu refuses le dialogue, rétorque Louis d'un ton amer. Un père veut discuter avec son fils et lui, il préfère monter dans sa chambre. C'est clair : tu refuses le dialogue !

— Non, ce n'est pas ça. Le dialogue avec toi, c'est crier plus fort que l'autre pour qu'on finisse par dire que tu as raison. Je refuse ce genre de conversation qui ne mène à rien !

Et Gabriel, d'un pas décidé, s'engage dans l'escalier.

— Gabriel ! crie son père, Gabriel, reviens ici tout de suite !

Gabriel n'obéit pas. Il a passé l'âge. Louis est désarçonné. Isabelle est soulagée, l'escarmouche n'aura pas lieu.

— Louis, crois-moi, c'est mieux comme ça. Vous êtes comme deux coqs de combat. Tu veux toujours gagner. Il n'a que 16 ans, essaie de le comprendre.

— Est-ce qu'il essaie de me comprendre, lui ?

— Mais, Louis, tu n'es plus un enfant, ce n'est pas à lui de comprendre le plus, de comprendre en premier, c'est à toi, son père. C'est à toi de faire les premiers pas vers une la réconciliation. Ma mère disait…

— Oh ! ta mère…

— Louis, laisse-moi terminer… ma mère disait toujours et elle était loin d'avoir tort : « Le plus intelligent des deux cède en premier. » C'est à toi de te montrer raisonnable, magnanime et de céder un peu, de marcher sur ton orgueil et d'admettre que ton fils ne suivra pas tes traces, que ton fils, ce n'est pas toi. Il me semble que c'est évident. Il faut que tu acceptes que la succession des pharmacies Dumais, ça ne l'intéresse pas. Pour lui, c'est de la bouillie pour les chats. Il faut que tu te rentres ça dans le crâne une fois pour toutes. Gabriel est ton enfant, mais il est différent de toi. Un point, c'est tout. Il veut s'engager socialement et travailler au Dernier relais. Moi, je trouve ça très bien, même que je trouve ça formidable. Laisse-le faire ses propres expériences. Ses premières bêtises. Ses premiers faux pas. On apprend en vivant, en faisant des bons coups et des erreurs. Tu ne vas quand même pas répéter les mêmes gaffes que ton père ultra-autoritaire, qui vous permettait à peine de respirer dans la maison. Rappelle-toi, Louis : aussitôt que tu as trouvé le moyen et le courage partir, tu l'as fait. C'est au tour de Gabriel de voler de ses propres ailes et on a peu de choses à dire sur la direction qu'il veut prendre. S'il se droguait, s'il buvait, je ne dis pas, mais, Gabriel ne fait rien de tout ça.

— C'est vrai, acquiesce Louis en s'affalant sur le banc du piano.

— Et si un jour on apprenait qu'il est homosexuel ou qu'il a contracté le sida, qu'il veut rentrer dans l'armée ou dans les Hell's Angels ou qu'il veut changer de religion, faire partie d'une secte religieuse comme les Krishna… Louis, la situation pourrait être pire, te rends-tu compte ? On devrait s'estimer chanceux d'avoir un fils comme lui. Il est vraiment loin d'être si mal.

Louis a l'air abasourdi, complètement ahuri face aux propos de sa femme.

— … on serait bien obligés de l'accepter… ou de ne plus le voir du tout. De le rayer de notre existence, de l'oublier, mais je pense que ce n'est pas possible, que ce n'est pas la solution. Gabriel est loin d'être un bum. Il se cherche, mais ce n'est pas un voyou. Louis, comprends-moi : ton fils essaie de faire du bien autour de lui. Il veut réfléchir dans l'action, et il me semble que le Dernier relais, c'est une bonne place pour apprendre. Sois patient, Gabriel va sûrement retourner aux études l'an prochain, je le sens. Pour l'instant, rien ne sert de précipiter les choses, ça ne ferait que mettre de l'huile sur le feu. Déjà que la marmite bout pas mal fort à mon goût. Laisse-le tranquille, laisse-le respirer un peu et, si tu peux, donne-lui un coup de main ; il aimerait ça sentir ton appui, j'en suis persuadée.

Isabelle s'approche de lui et ajoute :

— Fais un effort, Louis, tu n'as qu'un seul fils, ne l'oublie pas. Ce serait idiot de le perdre.

Louis la serre très fort dans ses bras, pose sa tête sur son ventre… comme un enfant et murmure, d'une voix à peine audible :

— Une chance que tu es là pour me ramener sur Terre une fois de temps en temps. Tu as raison. J'agis parfois avec Gabriel comme un imbécile, comme si ce n'était pas mon fils. Pourtant, je devrais y faire plus attention, mais non : il me semble que je l'use, que je le décourage de grandir, de faire sa vie. Je suis d'accord, les enfants ne nous appartiennent pas…

Il ne termine pas sa phrase.

— Oui, je sais, Louis, ce n'est pas facile…

— … laisse-moi maintenant. Je vais écouter un peu de musique classique pour me calmer, pour réfléchir, pour penser à tout ça. J'irai te rejoindre tantôt. Ne m'attends pas. Repose-toi.

Isabelle se penche vers l'amour de sa vie et l'embrasse tendrement, heureuse d'avoir enfin trouvé les mots qu'il fallait, les mots justes pour toucher le cœur de ce père qui avait oublié pendant des années qu'il avait un fils.

Le lendemain matin

Louis est attablé, l'air sérieux dans son complet-veston, et a déjà fini de déjeuner. Isabelle est partie au bureau depuis un bon moment.

Gabriel arrive dans la cuisine et pousse un soupir d'agacement. Il devra manger en compagnie de son père, supporter sa présence et son centième sermon sur la montagne, peut-être.

Il s'assoit et observe un silence monastique que son père ne tarde pas à briser.

— Tu sais, Gabriel… je ne suis pas très fort sur la communication. Mon fort, moi, c'est plutôt les affaires…

Gabriel ne répond pas et continue de ne pas le regarder.

— … ta mère et moi, on a parlé de toi, de nous… hier soir, et je pense qu'elle a raison. La tension est insoutenable ici et le grand responsable, c'est moi. Je ne changerai pas du tout au tout en une seule journée. C'est évidemment une question de semaines, de mois, je ne sais pas. Enfin, je voudrais que tu saches que je vais prendre les moyens pour te respecter davantage, pour t'écouter…

Gabriel relève la tête. La voix de son père est douce et calme. Est-ce que ça va durer ? Là est toute la question.

— Si je suis resté un peu plus longtemps à la maison ce matin, c'est justement pour te parler, pour te dire ça. Ce n'est pas grand-chose et tu vas sans doute croire que ce sont des paroles en l'air, mais laisse-moi le bénéfice du doute. Dans la vie, il faut souvent faire des mises au point et, comme en affaires, on oublie, on laisse aller les choses, et on s'aperçoit un jour que la sauce colle au fond, que rien ne va plus comme ça devrait. Mais il n'est jamais trop tard pour bien faire…

— Continue, je t'écoute, dit Gabriel.

Louis esquisse un sourire ; une brèche vient de s'ouvrir.

— Je sais bien que je n'ai pas été et que je ne suis pas le père idéal. Mais j'ai tellement de responsabilités que j'ai négligé l'essentiel : toi. Et puisqu'il faut appeler les choses par leur nom, je dois t'avouer… aujourd'hui, parce que ça me pèse sur le cœur, que je rumine ça depuis trop longtemps et que j'essaie de le cacher…

Louis se racle la gorge et regarde le plafonnier, évitant ainsi le regard de Gabriel pour le reste de sa phrase.

— … je pense que c'est là la source de tous nos malentendus. Je ne me suis jamais vraiment occupé de toi, et cette espèce de désintérêt a même commencé au berceau. L'idée d'avoir des enfants au départ, ça vient souvent des mères. Pas toujours, mais souvent, quoi qu'on dise. Dans un sens, je me sens coupable et au lieu de me rapprocher de toi, c'est l'inverse qui se passe : je te fuis, je te parle durement ou je fais comme si tu n'existais pas.

Gabriel encaisse le coup. Presque sans broncher. C'est surprenant. Il se doutait de tout ça depuis des siècles, mais il n'aurait jamais cru que son père aurait un jour le courage de le lui dire en face.

— C'est surtout Isabelle qui voulait un bébé. Moi, je ne me sentais pas prêt et je me demande même si je l'aurais été un jour. Je n'ai jamais voulu avoir d'enfants. J'ai toujours été mal à l'aise avec les bébés, avec les jeunes et je n'ai jamais pris la peine de faire des efforts. Aujourd'hui, je pense que j'ai eu tort. Il n'y a pas que les affaires dans la vie. Ta mère m'a aussi fait comprendre que ma chaîne de pharmacies, que j'ai bâtie de peine et de misère, ne t'intéresse pas ! C'est la seule chose que j'ai faite pour toi et tu n'en veux pas. Ça m'a surpris et ça m'a donné un choc. Je ne peux pas t'en vouloir : on est si différents ! C'est bizarre, mais c'est comme ça. J'avoue que je te connais mal… Quoi qu'il en soit, ce n'est pas parce que je ne t'ai pas désiré du plus profond de mon cœur que je ne t'ai pas aimé ou que je ne t'aime pas. Je t'aime, je pense à toi, à ton bien… Enfin, disons que le manque d'enthousiasme qui a entouré ta naissance peut expliquer la distance qui nous sépare… une distance que j'aimerais bien voir comblée. Enfin, ce n'est pas facile à dire…

Gabriel reste là, sans dire un mot. Comme s'il profitait de ce moment unique. Un moment unique où son père se sent un peu coupable. Pour une fois…

— Ce n'est pas facile à dire et je te demande de m'excuser pour tout cet amour qui t'a manqué depuis que tu es né. Je ne pense pas qu'on puisse reprendre le chemin perdu, mais je pense qu'on peut faire le reste de la route ensemble… Ce n'est pas impossible, si tu me donnes une chance et si tu mets un peu du tien. De mon côté, je vais essayer d'être plus présent, d'être là vraiment et de redevenir un vrai père et pas seulement un homme d'affaires, un pourvoyeur qui apporte le fric à la maison… Voilà, c'est ça que j'avais à te dire… Je pense que c'était à moi de te parler en premier et de mettre fin à cette guerre stupide du silence et du mépris. Ce n'est pas dans une atmosphère semblable que l'amour peut s'épanouir.

Louis essuie une larme. Le vieux lion est sonné.

— Bon, il faut que…

— … que tu files au bureau.

— Mais oui, c'est la vie. J'ai répété cette phrase des centaines de fois et je n'ai pas fini de le faire. Et puis, je vais te faire un autre aveu.

— Quoi?

— J'ai hâte au jour où je ne dirai plus que «je file au bureau». J'ai hâte de prendre ma retraite, figure-toi, même si j'ai la chance d'adorer mon travail. J'ai hâte de ne plus aller bosser, de faire autre chose, moi qui ne pense qu'à travailler, travailler, travailler… et ça pourrait arriver plus vite qu'on pense.

Gabriel reste songeur.

— Bon, à ce soir. Je vous invite au resto, ta mère et toi. Je vais lui téléphoner. Elle va sûrement tomber en bas de sa chaise. Un vrai souper à trois, ça fait longtemps qu'on n'a pas fait ça! Alors, à ce soir. Salut, Gabriel!

— Salut! s'entend dire Gabriel, comme par réflexe.

Et Gabriel reste là, les bras ballants. Incrédule. Le chef veut faire la paix! Ça l'étonne au plus haut point. Est-il sincère?

«Mais s'il pense que je vais lui pardonner toutes ces années de mépris, de non-amour et de silence comme ça, il se met le doigt dans l'œil et jusqu'au coude à part ça.»

15

Mine de rien,
Noël s'en vient!

Novembre, au Dernier relais, vers midi trente

— Gabriel, tu viendras me voir dans mon bureau, après le dîner. J'aimerais te parler.

— Rien de grave au moins? demande Gabriel, sur la défensive. Vous n'avez rien à me reprocher, monsieur Gazzotti?

— Non, non, bien au contraire. Alors, je t'attends vers 13 heures 30, d'accord?

— D'accord.

C

Le bureau du directeur est tout ce qu'il y a de plus modeste. Aucun tape-à-l'œil, que le strict nécessaire: un bureau, une lampe, un classeur et deux chaises. Il y a aussi une magnifique fenêtre qui donne sur un fond de ruelle. Le paysage est formidable (!) et monsieur Gazzotti peut rêver en paix à Séville, sa ville natale, lorsque l'hiver lui mord les joues. Ah! Séville, le soleil! Dire qu'il a quitté tout ça il y a plus de trente ans… pour «venir faire fortune en Amérique», comme ils disaient.

— Bon, Gabriel, je veux tout de suite te rassurer, depuis que tu es ici, ça doit bien faire six mois maintenant, non?

— Oui, ça fera six mois au début de décembre.

— Je dois te dire que je trouve que tu fais un excellent travail. Je n'ai rien à te reprocher, au contraire. Je me demande même de quoi tu vis, car avec le maigre salaire que tu fais… depuis qu'on te paye.

— Oh! pour le salaire, il n'y a pas de problème. Comme je vous l'ai déjà expliqué, je vis chez mes parents et tout ça me satisfait très bien pour l'instant. Le fait que je puisse me débrouiller un peu plus par mes propres moyens les arrange beaucoup. Enfin, j'essaie aussi d'économiser pour retourner aux études l'an prochain…

— C'est bien, ça, les études… mais je voulais te rencontrer aujourd'hui pour te demander si tu ne voulais pas être responsable de la fête de Noël. Nous ne sommes qu'à la mi-novembre, mais il faut quand même y penser, car cette année le Dernier relais fête son cinquième anniversaire…

— Déjà? C'est super!

— Oui, à vrai dire, je suis bien content, car même si j'y croyais très fort, je n'aurais jamais pensé que le Centre fonctionnerait si bien après cinq ans. On est toujours à la remorque des dons et des subventions, mais on a réussi à se débrouiller et à survivre… comme les itinérants qu'on héberge.

Monsieur Gazzotti esquisse un large sourire et poursuit :

— Pour en revenir à Noël, je voudrais qu'on souligne ça d'une façon qui sort un peu de l'ordinaire. Les autres années, c'était bien, mais ça manquait un peu de vie, de jeunesse. Je sais que nos moyens sont limités, mais avec les contacts que tu as et ton imagination, je pense que nous pouvons offrir une belle fête à nos pensionnaires.

— Vous pouvez compter sur moi, monsieur Gazzotti. Je vais y penser et je vais vous revenir avec quelques propositions pour le menu, la décoration, la musique, etc. Merci de me faire confiance, monsieur Gazzotti.

— Je suis très heureux que tu acceptes. Bon, maintenant, je dois m'occuper de trouver un autre congélateur usagé. Celui qu'on a vient de flancher ce matin et je crains de perdre toute la viande que nous avons si je n'en trouve pas un autre rapidement.

En sortant du bureau, Gabriel est gonflé à bloc. On lui demande enfin de rendre un service, un vrai ! On veut mettre ses compétences et son imagination à l'épreuve ! Oui, Noël, cette année, sera une bien belle fête.

16

Push-Poussez,
mais poussez égal!

Gabriel ne connaît pas l'adresse exacte du lieu de répétition du groupe Push-Poussez, mais il sait que c'est sur la rue de la Vieille-Ferme, entre le 6532 et le 6724; c'est du moins les indications *précieuses* que lui a fournies Félix. Plus précis que ça, t'as les numéros d'assurance sociale des musiciens.

Mais Félix avait raison : « Dès que tu entendras du bruit, beaucoup de bruit, tu sauras tout de suite que tu es près de l'entrepôt où ont lieu leurs répétitions », avait-il précisé.

Les oreilles de Gabriel commencent à bourdonner. C'est finalement derrière le 6628, dans un vieil entrepôt désaffecté, que le groupe Push-Poussez, inlassablement, répète et répète. Pas de spectacles en vue avant la fin janvier, pas de grandes tournées européennes, pas de CD, ni même de *single* à l'horizon. Un automne presque mort, en quelque sorte. Un automne qui porterait au découragement, au suicide musical, s'il n'y avait pas l'éternel optimisme de Dave qui leur permet de se maintenir à flot. Dave, le bassiste au sourire aussi éternel que sa peau noire. Il a la musique dans le sang et fait preuve d'un courage aussi immense que tous les océans du monde.

Gabriel n'a pas besoin de marcher sur la pointe des pieds : un éléphant entrerait dans ce local que les membres du groupe ne s'en apercevraient pas tellement la musique est forte. Cent vingt décibels, peut-être plus…

Gabriel s'installe à l'arrière de la salle sur un vieux baril d'huile et ses doigts tambourinent sur le métal. Belle musique. Un peu forte, mais belle musique quand même. Alain, avec toute la passion du monde, joue de la guitare, les yeux fermés, comme pour mieux se concentrer et savourer chaque note. Serge est absent, à cause de ses cours de conduite, mais Kim est là, avec sa voix toujours aussi merveilleuse et aussi juste. Gabriel l'écoute et l'observe avec affection… Si Kim était libre, il ne dirait pas non, mais comme elle sort avec Alain et qu'elle semble l'aimer à la folie, il n'a pas le goût de jouer les trouble-fêtes. S'il y a une chose au monde qu'il faut respecter, une chose rare et précieuse, c'est bien l'amour. Mais c'est souvent comme ça : Caroline lui court après, mais ce serait plutôt de Kim qu'il aurait envie. Le monde est drôlement fait, par bouts.

Soudain, la musique cesse, interrompant la rêverie de l'archange Gabriel.

— O.K., on prend un break, les gars, dit Alain en déposant sa guitare le long du mur.

Puis, il lève les yeux et s'écrie :

— Tiens, d'la visite ! Comment ça va, Fortin ?

— Oh ! moi, ça va, ça va...

— Qu'est-ce que tu fais dans le coin ? Ça fait longtemps qu'on t'a pas vu.

— Je passais tout simplement et...

Sentant qu'il doit cracher le morceau et éviter de prendre cinquante-six détours, Gabriel termine sa phrase en disant :

— Je passais dans le coin, c'est vrai, mais ce n'est pas par hasard. J'ai un service à te demander.

— Ah... de quel genre ? Parce qu'on est très occupés, dit Alain en rougissant un brin. Tu vois en ce moment, on répète un gros show pour une polyvalente de Verdun.

Puis, il se tourne vers le groupe et fait un clin d'œil à Dave qui resserre une corde.

— C'est assez embêtant, soupire Gabriel. Enfin, j'espère que ce n'est pas la même date. Ce serait pour le... euh... le 24...

— Le 24 quoi ? demande Alain.

— Le 24 décembre, précise Gabriel en regardant tour à tour Kim, Dave et Alain droit dans les yeux.

— Le 24 décembre ! Mais c'est la veille de Noël, man, et on est pas mal occupés chacun dans nos familles. C'est normal et c'est sûr qu'on ne donne pas de spectacle la veille de Noël.

Avant que la porte ne se referme complètement, comme un vendeur expérimenté, Gabriel
assomme tout de suite son vis-à-vis.

— C'est justement le service que je te
demande. Comme je travaille au Dernier relais,
une maison d'hébergement pour itinérants, j'ai
pensé, pour agrémenter Noël, leur offrir, en plus
d'un bon repas traditionnel, un peu de musique,
un peu de chaleur humaine. Pas des vieux disques
tout écorchés, mais un groupe *live*. Alors, c'est
pour ça que je suis venu vous voir pour vous
demander ce service.

— … et en plus, je gage que vous n'avez pas
de budget et qu'on va jouer gratuitement!

— C'est en plein ça, dit Gabriel avec un sourire désarmant et fendu jusqu'aux oreilles. C'est en
plein ça. Tu comprends vite, mon Alain!

— Mais ça va pas la tête?

Kim intervient avant qu'Alain ne dise des
sottises.

— Mais c'est une excellente idée, Alain, tu ne
trouves pas? Un peu de compassion, voyons!
Oublie ton petit nombril et pense un peu aux
autres. De toute façon, on va être ensemble; toi,
moi et la bande, c'est le principal.

— Ben oui, Alain, reprend Dave, pour une
fois qu'on aura un vieux public devant nous, ça va
nous changer des jeunes qui hurlent, qui sautent
sur nous autres pour nous arracher notre linge et le
garder en souvenir. Ah! Ah! Un petit spectacle
pépère, ça ne peut pas nous faire de tort, hum?

— Si vous le prenez comme ça, c'est correct. O.K., Gabriel, vu que tout le monde est d'accord… je suis d'accord aussi. Tu peux compter sur Push-Poussez. Et pour le transport du matériel, on fait quoi?

— On fait comme d'habitude, dit Kim en se dépêchant d'interrompre Alain, on se débrouille. Le Dernier relais n'a sûrement pas assez d'argent pour nous offrir le transport en limousine.

— Bon, O.K., choque-toi pas, Kim, je demandais ça comme ça, pour savoir…

Ravi de la tournure des événements, Gabriel ajoute:

— Je vous remercie beaucoup d'accepter. C'est gentil et généreux de votre part. Je ne l'oublierai jamais… Mais ce n'est pas tout: je voulais aussi vous dire…

— Nous dire quoi? demande Alain, inquiet. Il faut apporter notre lunch, peut-être?

— Non, quoique ça ne serait pas une vilaine idée… Mais non, je blague. Comme les gens du Relais sont, disons, plutôt âgés – la plupart ont entre 40 et 65 ans, mais il y a aussi des jeunes dans la vingtaine –, on aimerait que vous leur interprétiez des airs de Noël.

— Des airs de quoi? vocifère Alain. Est-ce que j'ai bien entendu? Des airs de Noël!!! Un p'tit chausson aux pommes avec ça? Tu t'es trompé d'adresse, Gabriel. Ici, ce n'est pas le local de Julio Iglésias! NON, MAIS!

— Du calme, Alain, dit Dave. C'est pour une bonne cause. Il ne faut pas que tu montes sur tes grands chevaux pour ça. Des tounes de Noël, on peut en apprendre dans le temps de le dire et, avec quelques petits arrangements un peu flyés et jazzés, on peut avoir du plaisir, j'en suis certain.

Alain le regarde, éberlué.

— Et tu es prêt à chanter *White Christmas* en prenant ta voix de Bing Crosbie?

— ... ou celle de Mes Aïeux ou des Cowboys fringants, pourquoi pas? Si Kim veut chanter avec moi, il n'y a vraiment aucun problème!

— Bon, mon horoscope prédisait que j'aurais une grande surprise en fin de journée. Il ne s'est pas trompé, mais ça ne disait pas si c'était une bonne ou une mauvaise surprise, rétorque Alain.

Dave et Kim s'esclaffent.

— Bon, ben, je vais vous laisser là-dessus, dit Gabriel en serrant la main de chacun des membres du groupe. On se revoit au Relais, le 24 au matin, vers 10 heures pour les derniers préparatifs. Ils vont être super contents d'apprendre ça. Ça va faire une fête de Noël super cool, une fête comme ils en ont rarement eue. C'est merveilleux que vous ayez accepté. Je savais que je pouvais compter sur vous. Merci. Merci mille fois, les gars... et Kim aussi, merci.

Et Gabriel quitte l'entrepôt d'un pas léger.

Malgré tout, Alain reste songeur. *Les anges dans nos campagnes, Petit Papa Noël, Minuit, Chrétiens,* lui qui déteste furieusement la musique de Noël! Les cantiques, de la vraie *musak* de centres commerciaux.

« Il faut que je sois rendu bien bas pour accepter ça », se dit Alain. Puis, il se reprend et réentend les dernières paroles de Gabriel : « Ils vont tellement être contents ! » Ouais, la vie est pleine de concessions et de surprises !

Alain s'approche alors du micro.

— O.K., les gars, on va voir ce qu'on peut faire. Il reste trois semaines pour pratiquer… Kim, à 1, 2, 3, 4 : *Les anges dans nos campagnes,* avec un petit beat de reggae. On essaie ça : 1, 2, 3, 4…

17

Des congélateurs blancs pour réchauffer les cœurs

— Je n'en crois pas mes yeux, je n'en crois pas mes yeux! crie de joie monsieur Gazzotti. Je n'en crois pas mes yeux, répète-t-il pour la centième fois, avec autant d'émotion dans la voix.

Les cinq employés, qui se trouvent dans le garage servant de débarcadère, de remise et de pièce de rangement pour les victuailles, sont ébahis, eux aussi et ils n'en reviennent pas: c'est la première fois qu'un tel miracle se produit.

Monsieur Gazzotti a devant lui deux magnifiques congélateurs tout blancs et tout neufs. Mais le plus beau de l'histoire, c'est qu'ils sont pleins! Archi pleins, pleins à craquer. Pleins de quartiers de bœuf, de veau, d'agneau et de dindons. Bien sûr, Gazzotti avait réussi à dénicher un autre congélateur usagé pour 200 dollars, mais ces deux-là dépassent toutes ses espérances.

— Ils vont durer au moins quinze ans! s'exclame-t-il.

Maurice, le vieux boucher, le dévisage en souriant et s'étonne de la naïveté de son patron, qui pourtant en a vu d'autres. Tout le monde sait très bien qu'aujourd'hui ce n'est plus comme avant et que les congélateurs sont fabriqués pour être remplacés dans cinq ans et, au mieux, dans huit ans.

— C'est vrai que c'est formidable, dit Maurice, mais ce qui est encore plus fabuleux, c'est que ces deux congélateurs ont été livrés de façon anonyme. Un don anonyme! Je n'en reviens pas! Les gens du Faubourg, si c'est quelqu'un du Faubourg, évidemment, sont très généreux, y a pas à dire.

— Ouais, dit Gabriel, c'est réconfortant de voir qu'il y a encore des gens qui font des dons de charité sans exiger un reçu pour l'impôt.

— Quel grand cœur! s'extasie monsieur Gazzotti. Que l'âme de ce généreux bienfaiteur soit bénie à tout jamais.

Revenant (enfin) sur Terre, le patron enchaîne en disant:

— Bon, il faut faire l'inventaire de tout ça et voir ce qu'il pourrait nous manquer pour la fête de Noël. Gabriel, viens dans mon bureau, on va passer en revue les dernières choses qu'il reste à faire. Le 24, c'est dans deux jours et on n'a plus une seconde à perdre.

158

C

La journée a bien commencé, comme dans un conte de fées. Et comme dans les films, cette année, la veille de Noël a pris des airs de carte postale. Une petite neige fine, douce et blanche tombe sur le Faubourg.

Pour s'assurer que tout se déroule à la perfection, Gabriel a pris la peine de dormir au Dernier relais et de goûter du même coup au lit moelleux (!) et au petit déjeuner copieux (!) arrosé d'un café aussi inoubliable que délectable (!). Gabriel a bien aimé l'expérience…

À peine a-t-il terminé de ranger son plateau qu'il aperçoit Simon, dit «le Sid», à l'entrée. Il a l'air encore plus amoché que la dernière fois. Gabriel le reconnaît et s'approche de lui. Simon aussi le reconnaît, mais il s'apprête plutôt à s'en aller.

— Sauve-toi pas, Simon. Viens ici !

Simon se retourne, presque malgré lui. Il n'a pas la force de refuser l'invitation, d'autant plus qu'il n'a presque rien mangé depuis deux jours.

— Qu'est-ce que tu fais ici ? demande Simon, qui a plus le goût de poser des questions que de s'en faire poser.

— Oh moi ! je travaille ici depuis six mois environ. Je donne un coup de main à droite et à gauche. Et toi, qu'est-ce que tu fais de bon ?

— De bon ! Pas grand-chose. Vraiment pas grand-chose. J'viens de me faire sacrer en dehors de l'Abri…

Gabriel regarde sa bouche enflée, ses yeux éteints. Sid n'est pas beau à voir.

— Pourquoi?

— Une bataille… J'ai pogné une bataille avec un des responsables… pour une niaiserie. Et il m'a dit de ne plus remettre les pieds là pour un bon bout de temps.

— Et en plus, il te manque une dent!

— C'est vrai, j'ai perdu une dent au combat, mais tu devrais voir l'autre, il a un Crest de beau sourire maintenant…

Et Sid s'esclaffe.

— Qu'est-ce que tu vas faire? demande Gabriel pour le ramener à la réalité. C'est la veille de Noël!

— Veille de Noël ou pas, tous les jours se ressemblent pour nous autres. Tu devrais le savoir.

— En tout cas, on donne une fête ici ce soir et je t'invite.

— C'est ben blood de ta part, mais…

— T'as pas un mot à dire pis t'es mal placé pour refuser, hein?

— Ouais…

— Bon, veux-tu un bon café et quelques toasts pour te remettre un peu sur le piton?

— Cé pas de refus, j'vas t'dire.

— Bon, installe-toi là, je vais te chercher tout ça. Tu peux même dormir ici quelques jours, le temps de retomber sur tes pattes… Je vais en parler à monsieur Gazzotti. Il devrait être d'accord.

Simon esquisse un drôle de sourire. « Retomber sur mes pattes… J'ai beau essayer, j'y arrive

160

pas, rumine-t-il. J'fais rien que ça, essayer de retomber sur mes pattes, cibole… »

Pendant que Simon engouffre la bouffe apportée par Gabriel, les membres du groupe Push-Poussez font leur entrée triomphale… sans applaudissements, comme promis, vers 10 heures. Ils installent leur matériel et font quelques tests de son. Tout marche comme sur des roulettes.

Et Kim – qui d'autre? – a l'ingénieuse idée d'offrir les services du groupe tout entier pour terminer la décoration de la salle… Alain est aux anges.

La plus grande des surprises, ce n'est pas que tout fonctionne bien, mais plutôt l'arrivée inattendue de madame Fortin et de monsieur Dumais. Gabriel ne les a pas vus entrer, car il est occupé à accrocher une énorme banderole rouge au-dessus du sapin. C'est Maurice qui lui a crié:

— Hé! Gabriel, tes parents sont là!

Gabriel est un peu mal à l'aise de les voir au Relais. Comme s'il avait un peu honte d'eux soudainement. Comme s'ils n'avaient pas d'affaire là. «Est-ce que je vais voir mon père à la pharmacie, moi? Est-ce que je vais avec ma mère vendre des maisons?» C'est drôle d'avoir honte de ses parents dans des circonstances aussi anodines que celle-là. Avoir honte de marcher avec eux, de les voir à l'école, être mal à l'aise quand ils viennent nous chercher ou nous reconduire chez un ami, c'est étrange. Drôle de gêne, drôle de sentiment. «Pourtant, se dit-il, je suis la chair de leur chair.»

161

Ils sont là, devant leur fils, souriants, en jeans, prêts à tout.

— Nous sommes venus t'aider, annonce joyeusement Isabelle, pour casser la glace.

— Oui, enchaîne Louis, on peut éplucher des légumes, mettre la table, te donner un coup de main pour la décoration… n'importe quoi!

— On a apporté quelques cadeaux pour ce soir, oh! des petits riens du tout, juste des petites choses pour mettre un peu d'ambiance.

Gabriel regarde avec étonnement les sept gros sacs.

— Il y en a un pour chacun et on n'a pas oublié le personnel. Ça fait 68 personnes en tout, c'est bien ça?

— Oui, c'est bien ça, bafouille Gabriel, décontenancé. Faire du ski dans les Alpes durant les fêtes, il me semble que c'était sacré pour vous, non?

— Oui, mais pas cette année; ce sera pour une autre fois, dit Louis, content de surprendre son fils.

— Et ce n'est pas tout, ton père voulait faire le père Noël, mais je l'ai découragé de mettre son plan à exécution en lui disant qu'il en mettait trop.

— Non, mais c'est vrai, je l'aurais fait de bon cœur. J'étais prêt à tout, cette année, dit Louis d'un ton joyeux.

— Je te crois, p'pa. C'est bien, mettons les cadeaux en dessous de l'arbre, on les distribuera ce soir, au réveillon.

— À tes ordres, mon Gabriel. C'est toi le boss ici, dit Louis en riant.

Pendant qu'ils dressent la table, Gabriel s'approche de son père et lui glisse à l'oreille :

— Le coup des congélateurs, c'est toi ?

— Oui, dit Louis en rougissant. C'est pas correct ? Ta mère m'a raconté que le Centre avait des problèmes, alors j'ai pensé bien faire.

— Oui, c'est parfait p'pa, vraiment parfait. C'est très gentil de ta part.

— Ouais, mais ta mère m'a vite ramené sur le plancher des vaches, tu la connais. Elle m'a dit que c'était un geste et une pensée très méritoires, mais que c'était une façon facile pour moi de me décharger la conscience en donnant encore une fois de l'argent comme toujours, pour me débarrasser... et qu'il fallait aussi donner de sa personne.

— C'est donc son idée, cette visite surprise ?

— Oui, et je trouve que c'est une très bonne idée.

— Plus j'y pense, moi aussi, dit Gabriel. Au fait, tandis que tu es là et que tu es dans de bonnes dispositions, j'aimerais que tu me rendes un service.

— Vas-y, je t'écoute.

— Tu vois le gars là-bas, près du sapin ?

— Celui avec des jeans noirs serrés et troués qui a l'air d'un vrai bum ?

— Oui. Il s'appelle Sid, Simon. Mais ne te fie pas trop aux apparences.

— Ce n'est pas facile, je dois te le dire...

— Je t'épargne les détails, mais il n'a vraiment pas eu de chance dans la vie. Je pense que c'est un gars plein de bonne volonté et que tu pourrais l'aider, lui donner un coup de pouce en lui offrant une job. Il est mûr pour ça.

— Oui, mais…

— … pas quelque chose de compliqué. Quelque chose à sa mesure où il pourrait être heureux, se sentir utile, devenir autonome, responsable et faire un peu d'argent de façon… honnête. Il pourrait faire l'entretien ménager, monter les étalages, être commis, je ne sais pas. J'aimerais que tu y penses. Pour les congélateurs, je n'avais rien demandé, mais je te trouve super d'y avoir pensé et surtout de l'avoir fait de façon discrète. Mais là, j'ai besoin de toi pour aider Simon afin qu'il sorte de cette merde dans laquelle il s'enfonce davantage chaque jour. Une petite job à neuf, dix piastres de l'heure, qu'est-ce que t'en penses?

— Ouais, c'est possible. Il pourrait commencer après les fêtes.

— Après les fêtes, ce serait parfait. Comme ça, il aurait le temps de se refaire une beauté. Donne-lui une chance. Ce sera mon cadeau de Noël… S'il ne fait pas l'affaire, ce qui m'étonnerait dans les circonstances, après deux ou trois semaines, tu verras bien… tu n'es pas obligé de le garder. Dans le fond, Simon ne demande qu'une chose: que quelqu'un lui donne une chance, une vraie, pour une fois.

— D'accord, Gabriel, tu peux compter sur moi. Au cours de la soirée, je vais lui proposer de faire un essai. Je vais lui laisser ma carte d'affaires avant de partir.

— Merci p'pa, c'est chic de ta part. C'est mon plus beau cadeau de Noël, je pense. Merci.

18

Un jour, une lettre
sur la table de la cuisine…

Évidemment, Noël s'est très bien passé au Dernier relais. Tout le monde était content : monsieur Gazzotti, les pensionnaires, les employés, les parents de Gabriel. Tout le monde, même Alain, avait trouvé la fête formidable. Quant à Simon, il était au septième ciel, on venait de lui offrir un emploi.

C'était le bonheur total. Du moins en surface.

Car connaît-on vraiment les gens ? Ou nous dévoilent-ils seulement ce qu'ils veulent bien nous montrer ? Combien de visages a-t-on ? Un pour les amis, un pour sa femme, un pour l'école, un pour le travail. Où est le vrai visage ? Devant sa glace ? Quand on est seul ?

Toujours est-il que pour Gabriel tout semble aller à merveille. Mais est-il vraiment heureux ?

Est-il vraiment à sa place dans l'univers? Est-il bien dans sa tête, dans son cœur? Le sera-t-il un jour, et ce jour-là, est-ce que ce sera pour toujours? Comment le savoir avec certitude? L'avenir est rempli de mystères et de promesses, de joies, de déceptions et d'amères désillusions.

Un jour, les parents de Gabriel trouveront, sur la table de la cuisine ou sur le frigo ou encore épinglée sur le grand babillard, une lettre de Gabriel qui leur dira à peu près ceci:

Bonjour vous deux,

Voilà, j'ai fait le grand saut ou peut-être le grand sot, je ne sais pas. L'avenir me le dira. Mais je ne suis pas tout à fait bien ici. Papa a fait des efforts inouïs pour se rapprocher de moi au cours des derniers mois et je lui en suis très reconnaissant. Mais il me semble que je serais mieux ailleurs. En Afrique, par exemple. Depuis que je suis haut comme trois pommes, je rêve à l'Afrique, au Darfour, à la Somalie, au Mali, au sable, au manque d'eau potable et à la misère qu'on ne veut pas voir.

Le monde est devenu un village, mais on ferme les yeux en lisant le journal, en regardant la télé. Le coût d'une publicité d'une minute pour un produit insignifiant, comme un gel coiffant ou une tablette de chocolat, pourrait nourrir un village tout entier durant des semaines. C'est un non-sens. Je suis de plus en plus mal à l'aise devant ces aberrations, devant tout ce confort à la fois incroyable et banal, selon le point de vue où l'on se place. Je n'en peux tout simplement plus.

J'ai décidé de partir avec Canada-Monde, un organisme de développement international. D'ailleurs, j'étais déjà parti bien avant de quitter le pays. Ça va peut-être vous faire de la peine, mais c'est comme ça. Je ne pars pas fâché ou aigri, rien de tout ça. Je pars pour mieux me retrouver, pour aider les autres aussi. Ce n'est pas une fuite, je pars à la découverte de moi-même. J'ai le goût de l'aventure et il me semble que je serai plus heureux ailleurs qu'ici. C'est comme un pressentiment. J'espère que je ne me trompe pas. Si je me trompe, je reviendrai. Je ne suis pas orgueilleux à ce point-là.

Je pars pour six mois, pour un an, pour cinq ans, je ne sais pas. Peut-être aurais-je dû naître en Afrique. Peut-être suis-je un Noir dans un corps de Blanc? C'est ce que je vais voir…

J'ai décidé de partir. J'aurais pu vous le dire de vive voix, mais j'ai préféré vous écrire, pour ne pas être interrompu, pour ne pas être influencé, pour ne pas fléchir. Pour faire à ma tête, une fois pour toutes. Même si vous pensez que j'ai toujours fait rien qu'à ma tête depuis que je suis au monde.

Je vous embrasse.

*Je penserai à vous. Je vous téléphonerai
(à frais virés, bien sûr ah, ah!) une fois rendu
là-bas. Comptez sur moi pour vous donner des
nouvelles aussi régulièrement que possible.*

Je vous aime.

Gabriel

*P.-S.: Papa, je ne t'ai pas encore tout pardonné.
Le pardon, ça prend du temps. Tu as fait ta part. Un
peu trop, des fois, mais bon… Il y avait du rattrapage
à faire. À moi maintenant de prendre le temps de
faire ma part, mon bout de chemin. Au fond, je sais
très bien que la haine ne donne jamais rien de bon et
qu'il faut bien un jour se réconcilier pour vrai. La
rancune est un cul-de-sac. Je sais aussi que pour
grandir dans la vie, il faut pardonner. Laisse-moi du
temps. Juste un peu de temps. Cette séparation
momentanée va nous faire le plus grand bien. Je
marche vers le bonheur.*

*Je sais aujourd'hui que tu me comprends un peu
mieux…*

Je t'…

Isabelle lira et relira cette lettre des dizaines de
fois, en pleurant, en se mordant les lèvres, puis
froidement, avec sagesse et résignation.

Louis lira et relira cette lettre des dizaines de
fois, en pleurant, en se mordant les lèvres, puis

froidement, avec sagesse et résignation. Et il dira, un soir, en se couchant et en enlaçant avec tendresse son Isabelle :

— C'est son choix, c'est sa vie après tout. C'est sa vie et il doit la vivre à sa façon, comme il l'entend. Même s'il se trompe. Même si ça nous fait de la peine. Et même si on n'approuve pas totalement sa décision. Même si on aurait fait autrement à sa place.

Et Louis répétera le plus sincèrement du monde, comme pour se convaincre davantage :

— Oui, c'est sa vie après tout !

Table des matières

LA NOURRITURE –
ÉLÉMENT ESSENTIEL DE CROISSANCE

Saviez-vous que… la nourriture est le carburant du cerveau? En effet, pas de nourriture, pas d'énergie! Et comme c'est le cerveau qui distribue les ordres à travers le corps, les jeunes qui ne mangent pas à leur faim auront des problèmes de croissance et de concentration, et leurs résultats, tant scolaires que sportifs, demeureront toujours en deçà de leurs capacités.

Saviez-vous que… même les collations sont primordiales à un corps en pleine croissance? Ainsi, on recommande aux adolescents de manger un peu avant de faire leurs devoirs, de passer un examen ou d'assister à des cours qui demandent une attention soutenue.

SUGGESTIONS DE
COLLATIONS ÉNERGÉTIQUES

- Tartine de beurre d'arachide
- Barre tendre
- Biscuit maison
- Fruit frais ou jus non sucré
- Yogourt aux fruits
- Lait ou lait au chocolat
- Pain pita et hoummos
- Bagel au fromage à la crème
- Muffin, craquelin de grains entiers ou galette de riz brun
- Mélange de noix et de fruits séchés

- Assortiment de bâtonnets de fromage et de crudités
- Œuf dur et jus de tomate

Attention : mieux vaut éviter les aliments trop salés, trop sucrés ou trop gras, et favoriser ceux qui présentent un bon apport en fibres.

Saviez-vous que... l'eau a une influence importante sur le fonctionnement général du corps et de l'esprit ? Même une déshydratation légère peut faire chuter considérablement le niveau d'énergie. Il faut donc boire de l'eau régulièrement tout au long de la journée.

PAUVRETÉ ET FAMINE – QUELQUES STATISTIQUES

Saviez-vous que... sur un million et demi d'enfants pauvres au Canada, plus de deux cent cinquante mille dépendent des organismes de charité pour manger à leur faim ?

Saviez-vous que... le Club des petits déjeuners du Québec a installé quelque deux cents cuisines dans les écoles du Québec et sert plus de deux millions de déjeuners durant l'année scolaire, permettant ainsi à plus de quinze mille enfants démunis de bénéficier, chaque matin, d'un repas nutritif ?

Saviez-vous que... l'organisme Le Garde-Manger pour tous permet à deux mille cinq cents écoliers de Montréal de prendre un repas chaud tous les midis ? Le Garde-Manger pour tous donne aussi trois tonnes de nourriture, quotidiennement, à des organismes communautaires venant en aide à des milliers de personnes en difficulté, en plus d'offrir des cours de cuisine aux parents.

Saviez-vous que… depuis sa création en l'an 2000, la Fondation du Club de hockey Canadien pour l'enfance a remis plus de quatre millions de dollars à deux cents organismes du Québec qui apportent du soutien aux enfants défavorisés, malades ou ayant des besoins spéciaux?

Saviez-vous que… malgré la générosité des milliers d'organismes sans but lucratif qui offrent des repas nutritifs aux démunis, il reste encore beaucoup trop de gens qui ne mangent pas à leur faim tous les jours, ici même dans notre pays, et ce dans tous les groupes d'âge?

Saviez-vous que… la pauvreté engendre beaucoup de problèmes? Par exemple, un enfant démuni sur deux a une santé fragile. Un sur trois habite un logement insalubre. Un sur quatre vit avec un parent dépressif. Deux sur cinq manifestent un retard dans le développement du langage. De plus, les enfants pauvres ont plus de risques de développer des problèmes respiratoires, d'être placés en famille d'accueil et de décrocher de l'école. Le stress, voire le désespoir, font souvent partie de leur vie, ainsi que la violence, tant verbale que physique.

Saviez-vous que… non seulement le nombre d'enfants pauvres augmente, mais que ceux-ci sont de plus en plus pauvres, parce que le fossé entre les riches et les pauvres ne cesse de se creuser?

En fait, le nombre d'enfants dont les parents dépendent de l'aide sociale a grimpé de 50 % depuis les années 1990.

Saviez-vous que... les familles monoparentales sont les plus touchées par la pauvreté ?

LES PANIERS DE NOËL

À l'approche des fêtes, les gens deviennent généreux et éprouvent un grand besoin d'amour et de partage. Les guignolées organisées un peu partout recueillent des tonnes de denrées à distribuer aux personnes défavorisées. Ce qui est très bien. Mais il ne faut pas oublier que c'est à longueur d'année que les gens ont faim...

LA FAIM DANS LE MONDE

Il y a des centaines de sites sur Internet qui ont pour thème la faim dans le monde.

Il faut savoir que vingt-quatre mille personnes meurent de faim chaque jour, soit une personne toutes les quatre secondes ! Huit cent quinze millions de personnes dans le monde souffrent de la faim. Ce chiffre diminue en moyenne de six millions par année. Mais il faudrait atteindre une baisse de vingt-huit millions pour réduire de moitié le nombre de personnes mal nourries d'ici à l'an 2015, un objectif fixé par l'Organisation des Nations Unies (ONU).

Trente pays d'Afrique connaissent de graves problèmes de sous-alimentation. La Somalie détient le triste record de malnutrition de la planète : 75 % de sa population en souffre. Un Nord-Américain moyen se nourrit avec 3600 calories par jour alors qu'un Africain en consomme 1188.

Quatre-vingt-six pays dans le monde ne produisent pas suffisamment de nourriture pour leur population et n'ont pas l'argent nécessaire pour en importer. La faim demeure depuis trop longtemps la principale cause de mortalité sur la planète.

Mais chacun peut faire sa part. Oui, chacun peut faire sa part...

POUR EN SAVOIR PLUS

Si vous voulez vous renseigner davantage sur tous ces sujets, voici quelques adresses utiles :

www.clubdejeuners.org
www.garde-manger.qc.ca
pauvrete.tripod.com/index.htm
www.lagrandeguignoleedesmedias.com
www.oldbrewery.ca
www.accueilbonneau.com
www.mbawhm.com (site de la Mission bon accueil)
www.pauvrete.qc.ca
www.ssvp-mtl.org/fr/statistiques.shtml

INVITATION

En terminant la lecture de ce livre, vous avez sûrement des commentaires ou des impressions au sujet de l'histoire, des personnages, du contexte ou de la collection Faubourg St-Rock en général. Faites-nous-en part si le cœur vous en dit.

Collection Faubourg St-Rock
Éditions Pierre Tisseyre
9300, boul. Henri-Bourassa Ouest, bureau 220
Saint-Laurent (Québec)
H4S 1L5

info@edtisseyre.ca

ou directement à l'auteur :

Robert Soulières
598, rue Victoria
C.P. 36563
Saint-Lambert, Québec J4P 3S8

P.-S. : Et je vous répondrai, promis, juré, craché !

PLAN DU
FAUBOURG
ST-ROCK

HERRIMAN

Chemin de la falaise

DURUISSEAU

DES ARTISANS

CÔTE-AU-SIROP

TANQUERAY

MODERHOUSE

BOULEVARD DE LA PASSERELLE

DE L'OASIS

DES ÉGLANTIERS

Aréna

DE L'ALLIANCE

CROISSANT ST-ROCK

COLLECTION FAUBOURG ST-ROCK+
directrice : Marie-Andrée Clermont

Note : Les ouvrages listés ci-dessus dans la collection
Faubourg St-Rock+ sont des versions réactualisées
des romans portant les mêmes titres parus
de 1991 à 1994.